2021年版

ハン検
過去問題集

上級

1級
2級

「ハングル」能力検定試験

まえがき

　「ハングル」能力検定試験は日本で初めての韓国・朝鮮語検定試験として、1993年の第1回実施から今日まで54回実施され、延べ出願者数は45万人を超えました。これもひとえに皆さまの暖かいご支持ご協力の賜物と深く感謝しております。

　ハングル能力検定協会は、日本で「ハングル」*1)を普及し、日本語ネイティブの「ハングル」学習到達度に公平・公正な社会的評価を与え、南北のハングル表記の統一に貢献するという3つの理念で検定試験を実施して参りました。

　2020年は、新型コロナウイルス感染症の世界的大流行という未曾有の事態により春季試験が中止に追い込まれ、秋季試験のみの実施となりました。秋季第54回検定試験は全国75ヶ所の会場と、一部地域の4、5級のみをＩＢＴ試験に振り替えて実施し、出願者数は合計13,772名となりました。厳しい状況下でもこれだけの受験者の方がいらっしゃったこと、感染症対策を行いつつの実施は、私たちに多くの物を教えてくれました。

　本書は「2021年版ハン検*2)過去問題集」として、2020年秋季第54回検定試験の問題を1、2級の上級、準2級、3級の中級、4、5級の初級の3冊にまとめたものです。それぞれに問題(聞きとりはＣＤ)と解答、日本語訳と詳しいワンポイントアドバイスをつけました。

　これからも日本語ネイティブのための唯一の試験である「ハン検」を、入門・初級の方から地域及び全国通訳案内士などの資格取得を目指す上級の方まで、より豊かな人生へのパスポートとして、幅広くご活用ください。

　最後に、本検定試験実施のためにご協力くださった、すべての方々に心から感謝の意を表します。

2021年3月吉日

特定非営利活動法人
ハングル能力検定協会

*1)当協会は「韓国・朝鮮語」を統括する意味で「ハングル」を用いておりますが、協会名は固有名詞のため、「」は用いず、ハングル能力検定協会とします。
*2)「ハン検」は「ハングル」能力検定試験の略称です。

目　　次

2級

■レベルの目安

幅広い場面で使われる韓国・朝鮮語を理解し、それらを用いて表現できる。

・相手に対して失礼のないように表現を選び、適切にコミュニケーションを図ることができる。また用件的に複雑な依頼や謝罪、批判などに関しても、適切に表現を選択し目的を果たすことができる。

・単語や言い回し、イントネーションなどに現れる話し手の感情（ニュアンス）もほぼ理解することができる。

・公式な場面と非公式な場面に即した適切な表現の選択が可能である。

・幅広い話題について書かれた新聞や雑誌の記事・解説、平易な評論などを読んで内容を理解することができる。また、取り扱い説明書や契約書、請求書や見積書、広告やパンフレットなど実用的な文を読んで、その意味を具体的に把握することができる。

・連語、慣用句はもちろん、ことわざや頻度の高い四字熟語についても理解し、使用できる。

・南北の言葉の違いなども多少理解することができる。

　※設問は韓国・朝鮮語

■合格ライン

●100点満点（聞取40点中必須16点以上、筆記60点中必須30点以上）中、70点以上合格。

◎記号について
　［　］：発音の表記であることを示す。
　〈　〉：漢字語の漢字表記（日本漢字に依る）であることを示す。
　（　）：当該部分が省略可能であるか、前後に（　）内のような単語などが続くことを示す。
　【　】：品詞情報など、何らかの補足説明が必要であると判断された箇所に用いる。
　「　」：**Point**中の日本語訳であることを示す。
　　★：大韓民国と朝鮮民主主義人民共和国との、正書法における表記の違いを示す（南★北）。

◎「、」と「；」の使い分けについて
　1つの単語の意味が多岐にわたる場合、関連の深い意味同士を「、」で区切り、それとは異なる別の意味で捉えた方が分かりやすいものは「；」で区切って示した。また、同音異義語の訳についても、「；」で区切っている。

◎／ならびに｛／｝について
　／は言い換え可能であることを示す。用言語尾の意味を考える上で、動詞や形容詞など品詞ごとに日本語訳が変わる場合は、例えば、「〜｛する／である｝が」のように示している。これは、「〜するが」、「〜であるが」という意味である。

2級

聞きとり　20問/30分
筆　　記　50問/80分

2020年　第54回
「ハングル」能力検定試験

【試験前の注意事項】

1）監督の指示があるまで、問題冊子を開いてはいけません。

2）聞きとり試験中に筆記試験の問題部分を見ることは不正行為となるので、充分ご注意ください。

3）この問題冊子は試験終了後に持ち帰ってください。

　　マークシートを教室外に持ち出した場合、試験は無効となります。

※ CD3 などの番号はCDのトラックナンバーです。

【マークシート記入時の注意事項】

1）マークシートへの記入は「記入例」を参照し、ＨＢ以上の黒鉛筆またはシャープペンシルではっきりとマークしてください。ボールペンやサインペンは使用できません。

　　訂正する場合、消しゴムで丁寧に消してください。

2）氏名、受験地、受験地コード、受験番号、生まれ月日は、もれのないよう正しくマークし、記入してください。

3）マークシートにメモをしてはいけません。メモをする場合は、この問題冊子にしてください。

4）マークシートを汚したり、折り曲げたりしないでください。

※試験の解答速報は、試験終了後、協会公式ＨＰにて公開します。

※試験結果や採点について、お電話でのお問い合わせにはお答えできません。

※この問題冊子の無断複写・ネット上への転載を禁じます。

ハングル能力検定協会
한글능력검정협회

「ハングル」能力検定試験

個人情報欄 ※必ずご記入ください

受験級	受験地コード	受験番号	生まれ月日

2 級 … ○
準2級 … ○
3 級 … ○
4 級 … ○
5 級 … ○

氏 名
受験地

 見 本

〈記入心得〉
1. ＨＢ以上の黒鉛筆またはシャープペンシルを使用してください。
　（ボールペン・マジックは使用不可）
2. 訂正するときは、消しゴムで完全に消してください。
3. 枠からはみ出さないように、ていねいに塗りつぶしてください。

〈記入例〉解答が「1」の場合
良い例
悪い例　レ点　線　バッテン　点　うすい

聞きとり

1	① ② ③ ④
2	① ② ③ ④
3	① ② ③ ④
4	① ② ③ ④
5	① ② ③ ④
6	① ② ③ ④
7	① ② ③ ④

8	① ② ③ ④
9	① ② ③ ④
10	① ② ③ ④
11	① ② ③ ④
12	① ② ③ ④
13	① ② ③ ④
14	① ② ③ ④

15	① ② ③ ④
16	① ② ③ ④
17	① ② ③ ④
18	① ② ③ ④
19	① ② ③ ④
20	① ② ③ ④

筆 記

1	① ② ③ ④
2	① ② ③ ④
3	① ② ③ ④
4	① ② ③ ④
5	① ② ③ ④
6	① ② ③ ④
7	① ② ③ ④
8	① ② ③ ④
9	① ② ③ ④
10	① ② ③ ④
11	① ② ③ ④
12	① ② ③ ④
13	① ② ③ ④
14	① ② ③ ④
15	① ② ③ ④
16	① ② ③ ④
17	① ② ③ ④

18	① ② ③ ④
19	① ② ③ ④
20	① ② ③ ④
21	① ② ③ ④
22	① ② ③ ④
23	① ② ③ ④
24	① ② ③ ④
25	① ② ③ ④
26	① ② ③ ④
27	① ② ③ ④
28	① ② ③ ④
29	① ② ③ ④
30	① ② ③ ④
31	① ② ③ ④
32	① ② ③ ④
33	① ② ③ ④
34	① ② ③ ④

35	① ② ③ ④
36	① ② ③ ④
37	① ② ③ ④
38	① ② ③ ④
39	① ② ③ ④
40	① ② ③ ④

41問〜50問は2級のみ解答

41	① ② ③ ④
42	① ② ③ ④
43	① ② ③ ④
44	① ② ③ ④
45	① ② ③ ④
46	① ② ③ ④
47	① ② ③ ④
48	① ② ③ ④
49	① ② ③ ④
50	① ② ③ ④

K12516T 110kg

ハングル能力検定協会

듣기 문제

CD 2

1 들으신 문장 내용과 일치하는 것을 하나 고르십시오.
(마크시트의 1번~3번을 사용할 것)　　〈2点×3問〉

CD 3

1) -- ☐ 1

　　① --
　　② --
　　③ --
　　④ --

CD 4

2) -- ☐ 2

　　① --
　　② --
　　③ --
　　④ --

CD 5

3)　_____　　3

①_____

②_____

③_____

④_____

問　題

CD 6

2 대화를 듣고 다음에 이어질 내용으로 가장 알맞은 것을 하나 고르십시오.

　　（마크시트의 4번～6번을 사용할 것）　　　〈2点×3問〉

CD 7

1）여 : _____

　　남 : _____

　　여 : _____

　　　　 _____

　　남 : （　　　　　　 **4** 　　　　　　）

　　　① _____

　　　② _____

　　　③ _____

　　　④ _____

2) 여 : _____

　　남 : _____

　　여 : _____

　　남 : (　　　　**5**　　　　)

　　① _____

　　② _____

　　③ _____

　　④ _____

問　題

CD 9

3) 남 : _____

　　여 : _____

　　　　 _____

　　남 : _____

　　　　 _____

　　여 : (　　　　　 6 　　　　　)

　① _____

　② _____

　③ _____

　④ _____

CD10

3 대화문을 들고 물음에 답하십시오.
(마크시트의 7번~9번을 사용할 것) 〈2点×3問〉

CD11

1) 여자의 생각으로 맞는 것을 하나 고르십시오. 　7

남 : _____

_____

여 : _____

_____

남 : _____

_____

여 : _____

_____

① 한 번쯤은 들어가 보고 싶었던 가게이다.
② 옛날부터 선불로 결제했는지 궁금하다.
③ 계산은 마지막에 한꺼번에 하고 싶다.
④ 분위기가 좋으면 웬만한 것은 참을 수 있다.

CD13

2) 여자의 주장으로 맞는 것을 하나 고르십시오.　　　8

남 : _____

여 : _____

_____

남 : _____

_____

여 : _____

_____

① 커피 가루에서 나는 냄새를 없애야 한다.

② 찌꺼기가 남은 접시를 잘 닦아야 한다.

③ 사람은 각자의 사고 방식을 존중해야 한다.

④ 버리는 것도 잘 활용하면 쓸모가 있다.

CD15

3) 남자의 생각으로 맞는 것을 하나 고르십시오. ☐9☐

남 : _____

여 : _____

_____

남 : _____

_____

여 : _____

_____

① 엄마가 밥상을 차리는 모습이 그립다.

② 엄마가 만들어 주는 음식이 최고다.

③ 집에서 먼 학교를 다니고 싶지 않다.

④ 엄마의 손맛을 느낄 수 있는 식당이 좋다.

問 題

CD17

4 문장을 듣고 물음에 답하십시오.
(마크시트의 10번~12번을 사용할 것)   〈2点×3問〉

CD18

1) 문장의 요지로 맞는 것을 하나 고르십시오.   10

----

① 시골에서는 버스 안내원의 필요성이 대두되고 있다.
② 어르신들이 교통 사고 예방 운동에 열심이다.
③ 옛날에 사라졌던 직업이 다시 부활했다.
④ 중년 여성들을 위해 교통 도우미 서비스를 제공한다.

第54回

CD20

2) 문장의 내용과 일치하는 것을 하나 고르십시오. ⬚11

----

① 옛날 소주는 정성에 비해 얻을 수 있는 양이 적었다.
② 쌀이 아닌 재료를 사용하면서 소주 값이 싸졌다.
③ 누구나 값싸게 마실 수 있는 대중 술은 물로 만들었다.
④ 재료만 봐서는 그 술이 고급술인지 알 수 없다.

問　題

CD22

3) 문장의 내용과 일치하는 것을 하나 고르십시오.　　12

----

① 빈 속인 채 잠자리에 들지 않는 게 좋다.
② 저녁 식사 후에는 가능하면 일찍 자는 게 좋다.
③ 오후 간식은 점심 먹은 후 4 시간 뒤에 하는 게 좋다.
④ 음료수는 잠자리에 들기 전에 마셔도 된다.

第54回 問題

CD24

5 대화문을 들으신 다음에【물음 1】~【물음 2】에 답하십시오.

(마크시트의 13번~14번을 사용할 것)　　　〈2点×2問〉

CD25

남 : _____

여 : _____

남 : _____

여 : _____

남 : _____

여 : _____

남 : _____

問　題

【물음1】　여자의 주장과 **일치하지 않는 것**을 하나 고르십시오.

13

① 한 끼 정도는 있는 재료로 대충 해 먹어도 괜찮다.
② 배달 시간이 정확해서 평소와 다름없이 준비할 수 있다.
③ 굳이 힘들게 직접 장 보러 가지 않아도 된다.
④ 신선한 재료를 받으려면 저녁 늦게 주문하는 게 좋다.

【물음2】　대화 후에 남자가 할 행동으로 알맞은 것을 하나 고르십시오.

14

① 귀찮지만 어쩔 수 없이 장 보러 간다.
② 오늘 저녁은 집에 있는 재료를 활용한다.
③ 제시간에 상품을 받기 위해 계획표를 짠다.
④ 정말 새벽에 배달해 주는지 확인해 본다.

CD26

6 문장을 들으신 다음에 【물음 1】～【물음 2】에 답하십시오.
(마크시트의 15번～16번을 사용할 것)　〈2点×2問〉

CD27

【물음1】 문장의 제목으로 가장 알맞은 것을 하나 고르십시오. 15

① 숙면을 위한 침실 온도
② 계절별로 보는 침실 환경
③ 침실에 관한 논문 소개
④ 숙면을 취하기 위한 노력

【물음2】 문장의 내용과 일치하는 것을 하나 고르십시오. 16

① 잠은 생리 현상이기 때문에 인간이 어찌할 도리가 없다.
② 적정 숙면 온도가 19도인 것은 의외이다.
③ 일상 생활에서는 25도가 적절한 온도이다.
④ 수면에 관한 여러 논문들의 주장이 엇갈린다.

第54回　問題　《《《聞きとり

CD28

7 문장을 듣고 괄호 부분의 일본어 번역으로 맞는 것을 하나 고르십시오.

(마크시트의 17번~20번을 사용할 것)　〈2点×4問〉

CD29

1) 개중에는 (　　　　　　　　　) 아이도 있었다.　　17

① プロを見て頬を赤くする
② プロからビンタを食らった
③ プロ顔負けの才能を持つ
④ 強いプロ意識のある

CD30

2) 여태껏 (　　　　　　　) 이제 와서 자기 좀 도와
달라고?　　18

① 全然顔も出さなかったのに
② はなも引っ掛けなかったのに
③ 高飛車に出なかったのに
④ 全く口出ししなかったのに

CD31

3）（　　　　　　　　　　　）그렇게 행동할 리가 없지.　19

① よほど気を使いたくない間柄なのか
② ある程度親しくなった後では
③ 相当気の知れた間柄になるべく
④ よほど気の置けない間柄でない限り

CD32

4）밀겨야 본전인데（　　　　　　　　　　）　20

① あまり脅かしてはいけません。
② そんなに及び腰でいいのですか？
③ やる前から怖気付いてはいけません。
④ あまり怖がり過ぎではないですか？

필기 문제

1 ( ) 안에 들어갈 말로 가장 알맞은 것을 하나 고르십시오.

(마크시트의 1번~10번을 사용할 것) 〈1点×10問〉

1) 우리 사장님은 모든 직원과 (1) 없이 대화를 나누신다.

① 견지　　　② 격의　　　③ 시위　　　④ 비리

2) 별로 관심 없는 기사여서 (2)로/으로 읽고 지나갔어요.

① 단골　　　② 응석　　　③ 잠꼬대　　　④ 건성

3) 오랜만에 만난 그녀는 예전과는 (3) 다른 모습이었다.

① 곤히　　　② 사뭇　　　③ 발딱　　　④ 즉각

4) 새로운 시대에 (　4　) 인재를 육성해 나갑시다.

　① 부응하는　② 지탱하는　③ 섭취하는　④ 우회하는

5) 부모가 자기 자식만 (　5　) 안 되지요.

　① 치켜뜨면　② 부대끼면　③ 싸고돌면　④ 쏘다니면

6) 여름철에는 넥타이를 매지 않아도 (　6　).

　① 능란하다　② 무방하다　③ 막막하다　④ 누추하다

7) 생각만 해도 눈물이 (　7　) 돌 정도로 마음이 아프네요.

　① 핑　　　② 쿡　　　③ 쑥　　　④ 뻥

8) (　8　)말 하지 말고 내가 시키는 대로 해.

　① 늦　　　② 풋　　　③ 숫　　　④ 잔

9) 누구나 타고난 복을 (9) 권리가 있다.

① 누빌   ② 누릴   ③ 내걸   ④ 놀릴

10) A : 어제 산책 중에 (10)을 당하셨다면서요?
     B : 말도 마세요. 지나가던 개한테 갑자기 물렸지 뭐예요.

① 해임   ② 따돌림   ③ 봉변   ④ 배신

2 ( ) 안에 들어갈 말로 가장 알맞은 것을 하나 고르십시오.

(마크시트의 11번~14번을 사용할 것) 〈1点×4問〉

1) 얘기 내용이 얼마나 우습던지 (11) 웃었어요.

① 가슴을 조이고 ② 코를 찌르고
③ 배꼽을 잡고 ④ 눈을 씻고

2) 왜 그런 행동을 했는지 이제 와서 (12) 후회해도 아무 소용이 없다.

① 공을 쌓고 ② 땅을 치고
③ 벽을 쌓고 ④ 새끼를 치고

3) (13)이라고 실제로 보니까 가지고 싶어지네요.

① 견물생심 ② 부전자전 ③ 적반하장 ④ 안하무인

4) A : 여자친구가 헤어지재.

B : 갑자기? 완전 (　14　)이네.

① 마른 하늘에 날벼락　　② 시장이 반찬

③ 티끌 모아 태산　　④ 시작이 반

問 題

3 밑줄 친 부분과 바꾸어 쓸 수 있는 것을 하나 고르십시오.

(마크시트의 15번~18번을 사용할 것) 〈1点×4問〉

1) 시간 관계상 대략 <u>요약해서</u> 보고 드리겠습니다. **15**

① 편찬해서   ② 인용해서   ③ 간추려서   ④ 수그려서

2) A : 회의 잘 끝났어요?
  B : 아니, 과장님이 자꾸 <u>트집을 잡는</u> 바람에 애 먹었어.

  16

① 봉을 잡는   ② 딴지를 거는
③ 파리를 날리는   ④ 도를 닦는

3) <u>갖은 고생</u> 끝에 얻은 성과이기 때문에 더욱 자랑스럽다.

  17

① 횡설수설   ② 수수방관   ③ 과대망상   ④ 천신만고

4) 우리 아이는 용돈을 줘도 줘도 <u>끝이 없어요</u>.　　18

　① 우물 가서 숭늉 찾기예요
　② 불난 집에 부채질 하기예요
　③ 밑 빠진 독에 물 붓기예요
　④ 다 된 죽에 코 풀기예요

4 ( ) 안에 들어갈 말로 가장 알맞은 것을 하나 고르십시오.

(마크시트의 19번~22번을 사용할 것) 〈1点×4問〉

1) 이 성금이 다소(**19**) 도움이 되기를 바라는 바입니다.

① 나마 ② 토록 ③ 더러 ④ 마따나

2) 전문가도 모르는데 내가 (**20**) 뭘 알겠어?

① 보노라면 ② 본들 ③ 보고서야 ④ 보다가

3) A : 엄마, 내일 저녁 어디로 예약할까요?
  B : 난 아무데나 괜찮으니까 네가 좋을 대로 (**21**).

① 합쇼 ② 할걸 ③ 함세 ④ 하렴

4) 그는 남녀노소를 (**22**) 모두에게 사랑받는 국민 가수다.

① 둘째 치고 ② 팽개치고 ③ 막론하고 ④ 고사하고

5 ( ) 안에 들어갈 말로 **알맞지 않은 것**을 하나 고르십시오.

(마크시트의 23번~25번을 사용할 것) 〈1点×3問〉

1) 필요한 장비가 (**23**) 대로 작업을 시작하겠습니다.

  ① 갖춰지는 ② 구비되는 ③ 정비되는 ④ 포개지는

2) 이로써 어느 방식이 맞는지 (**24**)이 난 셈이다.

  ① 판가름 ② 결판 ③ 판명 ④ 파탄

3) A : 이제 와서 그런다고 뭐가 달라져?
  B : 누가 (**25**)? 기적이라도 일어날지.

  ① 아남 ② 알아 ③ 알던 ④ 알겠어

問題

6 다음 문장들 중에서 **틀린 것**을 하나 고르십시오.
(마크시트의 26번~27번을 사용할 것) 〈1点×2問〉

1) 26

① 그 일은 정식한 절차를 밟아 진행될 것이다.
② 기계만이 할 수 있는 정밀한 작업이다.
③ 상황이 어려울수록 정확한 판단력이 중요하다.
④ 정직한 사람이 잘되는 사회가 되면 좋겠다.

2) 27

① 어머니의 남동생이니까 내게는 외삼촌인 셈이다.
② 무엇이 좋은지 둘의 중에서 하나 고르시기 바랍니다.
③ 며칠 사이에 그의 실력이 부쩍 좋아진 것 같았다.
④ 12월의 눈 덮인 거리는 정말 환상적이었다.

第54回

問 題

7 모든 (   ) 안에 공통으로 사용할 수 있는 말로 가장 알맞은 것을 하나 고르십시오.

(마크시트의 28번~29번을 사용할 것)   〈2点×2問〉

1) ·그의 말을 듣고 있자니 숨통이 (   ) 듯 했다.

· 기가 (   ) 맛있는 음식을 대접받았다.

· 양 옆이 (   ) 자리에 앉았다.   **28**

① 트이다   ② 차다   ③ 멎다   ④ 막히다

2) · 현대 사회의 모순에 대해 일침을 (   ).

· 갑자기 말을 (   ) 곤란합니다.

· 이제 마음을 (   ) 열심히 살아 보세요.   **29**

① 붙이다   ② 놓다   ③ 걸다   ④ 가하다

8 다음 문장들 중에서 한글 표기가 **틀린 것**을 하나 고르십시오.

(마크시트의 30번~32번을 사용할 것)　　〈1点×3問〉

1)　　　　　　　　　　　　　　　　　　　　　30

① 선배님을 만나면 항상 깍듯이 인사해라.
② 그 친구는 워낙 깍쟁이라서 돈을 잘 안 쓴다.
③ 연필을 쓰다 보면 연필깎이는 필수품이 된다.
④ 깎아지른 절벽 아래로 강이 흐르고 있다.

2)　　　　　　　　　　　　　　　　　　　　　31

① 외국으로 유학을 가겠다는 결심을 굳혔다.
② 정답을 맏힌 분에게는 상품을 드립니다.
③ 땅속에 묻힌 유적을 발굴하는 작업이다.
④ 동굴 안에 갇혔던 소년들이 무사히 구출됐다.

3)

32

① 한쪽 어깨로만 매지 않는 게 좋다.

② 방금 맸던 끈을 다시 풀었다.

③ 따뜻한 메밀국수 맛이 끝내준다.

④ 메마른 땅인데도 꽃이 예쁘게 피었다.

9 (　　) 안에 들어갈 표현으로 가장 알맞은 것을 하나 고르십시오.

(마크시트의 33번~36번을 사용할 것)　　　〈1点×4問〉

1) A : 출출한데 간단하게 먹을 만한 거 없을까?

　　B : 글쎄요, 이 시간에 뭘 만들기도 그렇고…….

　　A : 만들긴. (　33　)

　　B : 그럴까요? 전화번호가 어디 있더라?

① 냉장고 좀 뒤져 봐야겠는데?

② 나가서 한탕 하고 올까?

③ 그냥 참고 자야지 뭐.

④ 간편하게 시켜 먹자고.

2) A : 조깅 그만두셨다면서요?

　　B : 어휴, 미세먼지 때문에 밖에서 못 뛰어요.

　　A : 그렇죠? (　34　)

　　B : 그래서 요즘은 가정에서 하는 운동이 유행이라잖아요.

① 저도 할 명분이 안 서더라고요.

② 저도 엄청 실내를 싫어하거든요.

③ 저도 할 엄두가 안 나더라고요.

④ 저도 얼마나 열심히 청소하는데요.

3) A : 무슨 좋은 일 있었어요? 콧노래를 다 흥얼거리고.

   B : 그럼, 있었지. 아주 신나는 일이.

   A : 뭔데요? 궁금하네.

   B : 때가 되면 차차 알게 될 거야.

   A : (　35　)

   B : 안 돼, 금방 알려 주면 재미없단 말이야.

   ① 정 그러시다면 제가 포기할까요?

   ② 에이 속 태우지 말고 얼른 말해 봐요.

   ③ 그때가 점점 다가오기를 기다리라고요?

   ④ 이래 보여도 저도 콧노래 할 줄 안다고요.

4) A : 그렇게 태평하게 TV나 보고 있을 때니?

   B : 이것만 보고 들어갈게요.

   A : 그게 벌써 몇 시간째야.

   B : (　36　)

   A : 어휴, 말은 그럴싸하게 잘한다니까.

   ① 당장 끄고 들어가면 될 거 아녜요.

   ② 몇 시간 봤는지 혹시 시간 재셨어요?

   ③ 공부도 쉬엄쉬엄 해야 능률이 오른다고요.

   ④ 자꾸 그러시니까 더 이상 못 해 먹겠어요.

10 다음 글을 읽고 【물음】에 답하십시오.
(마크시트의 37번~38번을 사용할 것)　　〈1点×2問〉

1)

　마라톤은 다른 종목과는 달리 시간을 많이 잡아먹는 종목이고 경기가 2시간 넘게 진행되기 때문에 보는 것도 하는 것만큼이나 어지간한 근성 없이는 고되고 힘들다. 그러나 불굴의 의지로 인간의 한계에 도전하며, 초인적인 능력과 인내를 요구하는 것이 마라톤 경기의 특성이다. 그러므로 마라톤은 개인 종목임에도 불구하고, 다른 종목들에 비해 전하는 감동이 많은 종목이기도 하다.

【물음】 이 글의 내용과 일치하는 것을 하나 고르십시오. 37

① 마라톤은 워낙 긴 경기라서 관전하는 것도 인내가 필요하다.
② 마라톤은 경기 특성상 개인 종목이 될 수밖에 없다.
③ 마라톤에 필요한 것은 더 많은 감동을 낳기 위한 도전 의식이다.
④ 마라톤은 웬만큼 끈질기지 않으면 인간적으로 버틸 재간이 없다.

2)

　어릴 적 길을 잃은 적이 있다. 다시는 집에 갈 수 없을까 봐 엉엉 울면서 골목길을 헤매고 다녔다. 다행히 어두워지기 전에 집으로 돌아올 수 있었는데 엄마한테 혼이 나면서도 집에 왔다는 게 얼마나 좋았던지. 방학 때 크고 넓은 친척 집에 가서 놀다가도 때가 되면 집에 오고 싶었다. 누가 가르쳐 주지 않아도, 날 따뜻하게 반겨 주고 재워줄 곳은 우리 집뿐이라고 본능적으로 알았던 것 같다.

【물음】 이 글의 내용과 일치하는 것을 하나 고르십시오. 　38

　① 그 시절에는 누구나 다 길을 잃고 헤맨 경험이 있다.
　② 아무리 엄마한테 혼이 났어도 집에는 꼭 들어갔다.
　③ 방학 때 친척 집에 놀러 갔다가 마음이 편치 않아서 바로 돌아왔다.
　④ 해 지기 전에 집에 돌아왔는데 엄마한테 꾸지람을 들었다.

問　題

11 다음 글을 읽고 【물음 1】~【물음 2】에 답하십시오.
(마크시트의 39번~40번을 사용할 것)　〈2点×2問〉

　인간은 신이 아닌 이상 잘못이나 실수를 저지르기 마련이다.
만약 실수나 과오를 범하지 않는 사람이 있다면 그는 신이거나
그렇지 않으면 아무 일도 하지 못하는 무능한 사람일 것이다.
실수란 그 무엇을 하려다가 안 된 것을 의미한다. 그러므로 실
수에는 그 무엇을 이루고자 하는 뜻과 노력이 숨어 있다. 따라
서 실수가 없는 삶이란 어떤 의미에서 인생을 용감하게 살기
보다 (　39　) 살려고 하는 것이라 하겠다.

　그렇다고 결코 실수를 장려하려는 것은 아니다. 실수를 너
무 두려워한 나머지, 자기가 해야 할 일을 다 하지 못하는 삶
을 꾸짖고 싶을 따름이다. 이때 가장 중요한 점은 실수나 과오
를 통해 남을 비난하고 자기 책임을 회피하기보다는 그것을 통
해 많은 것을 배워야 한다는 점이다.

【물음 1】　(　39　)에 들어갈 말로 가장 알맞은 것을 하나
고르십시오.　39

　① 무궁무진하게　　　② 무미건조하게
　③ 파란만장하게　　　④ 배은망덕하게

【물음 2】 이 글의 내용과 일치하는 것을 하나 고르십시오.

40

① 신도 인간처럼 실수나 잘못을 저지르는 경우가 있다.

② 실수를 하느니 조용히 숨죽이고 사는 것이 낫다.

③ 실수나 과오를 범할수록 두려움을 극복할 수 있다.

④ 실수를 마다하지 않는 삶이 바람직하다.

12 다음 글을 읽고 【물음 1】~【물음 2】에 답하시오.
(마크시트의 41번~42번을 사용할 것)　　　〈2点×2問〉

[북(北)의 문헌에서 인용]

《어머니, 나 사이다.》

《애, 달리기를 하기 전에 사이다를 마시면 배가 출렁거려서
잘 못 뛴다.》

《일없어요.》

《너 정말 자신있니?》

《걱정말라요. 2학년아이들 중에선 달리기에서 내가 1등인
데요 뭐.》

(A) 사이다를 병채로 들고 꿀꺽꿀꺽 마신 천백이는 자신있
게 대답하고는 출발선으로 달려갔다. (B)

호각소리와 함께 여덟명의 아이들이 동시에 달리기 시작했
다. 천백이는 두번째 아이를 대여섯발자국이나 떨구고 달려가
제일먼저 표를 집어들었다. (C) 뽑아든 표만 뚫어지게 들여다
보며 까딱 움직이지 않았다. (D)

(아니, 저 애가 왜 저럴가??)

조급해진 어머니가 아들을 향해 소리쳤다.

《천백아, 뭘하니, 빨리 뛰지 않구.》

그러나 어머니의 그 목소리는 운동장이 떠나갈듯 한 응원소
리가 홀딱 삼켜버렸다.

第54回 問題

【물음1】 다음 문장이 들어갈 위치로 알맞은 것을 하나 고르십시오. 41

그런데 웬일인지 그는 못박힌듯 그 자리에 서있었다.

① （A） ② （B） ③ （C） ④ （D）

【물음2】 이 글의 내용과 일치하는 것을 하나 고르십시오. 42

① 천백이는 2등과 간발의 차이로 1등이었다.
② 천백이는 표를 뽑았지만 순서가 뒤로 밀렸다.
③ 천백이는 1등을 할 수 있다고 자신만만해 했다.
④ 천백이는 사이다를 마실 일이 없어졌다.

問　題

13 밑줄 친 부분을 문맥에 맞게 정확히 번역한 것을 하나 고르십시오.

（마크시트의 43번～46번을 사용할 것）　　〈1点×4問〉

1）괜히 말 잘못 걸었다가 <u>뼈도 못 추릴 뻔했어요.</u>　　43

　① ひどい目に合うだけです。
　② 骨折り損に終わりました。
　③ だまされるところでした。
　④ 散々な目に合うところでした。

2）무슨 속셈인지 <u>슬쩍 떠보는 게 좋을 성싶네요.</u>　　44

　① こっそりのぞいてみるのが良いかも知れません。
　② それとなく探ってみるのが良さそうですね。
　③ すばやく中身を確かめた方が良さそうですね。
　④ そっとすくいあげてみるのはどうでしょう。

3) 오늘 따라 꼭두새벽부터 부산을 떨고 있다. **45**

① ほこりを叩いている。
② 負傷を負って震えている。
③ せわしなく騒がしい。
④ 釜山が騒然として慌しい。

4) 그 친구는 원래 까칠한 성격이니까 그러려니 해야지. **46**

① 気難しい性格だから、そういうものだと思うしかない。
② けちだからそういうことになるのだろう。
③ 気性が荒いから仕方がないと思うしかない。
④ 勝気な性格だから、そうするしかないだろう。

問 題

14 밑줄 친 부분을 문맥에 맞게 정확히 번역한 것을 하나 고르십시오.

(마크시트의 47번~50번을 사용할 것)　　〈2点×4問〉

1) 今回は<u>大事に至らず事無きを得た。</u>　　　　47

① 큰일이 닥치더라도 아무 탈 없기를 빈다.
② 일이 크게 번지지 않고 무사히 마무리됐다.
③ 긴급한 상황이 아니라서 어쩔 도리가 없었다.
④ 대사를 치렀음에도 아무 것도 얻지 못했다.

2) 軽い気持ちで言っただけなのに<u>真に受けて</u>どうするの？

48

① 정면으로 받아들이면
② 진실이라고 밝혀서
③ 진심으로 이어받아서
④ 진지하게 받아들이면

3) 皆黙っているから<u>余計な口は挟まないほうが</u>いいと思う。

49

① 쓸데없이 참견하지 않는 게
② 지나치게 떠들지 않는 게
③ 귀찮은 자리에는 끼지 않는 게
④ 불필요한 입담은 삼가는 게

4) 相手のために<u>労を惜しまない姿に心を打たれた。</u>

50

① 노력하는 것이 안타까워서 마음이 아렸다.
② 노고를 아쉬워하는 모습이 마음에 걸렸다.
③ 수고를 아끼지 않는 모습이 마음에 와닿았다.
④ 공로를 못 세워 섭섭해 하는 꼴이 신경 쓰였다.

解 答　　　　(＊白ヌキ数字が正答番号)

듣기 문제와 해답

　지금부터 2급 듣기 시험을 시작하겠습니다. 큰 문제가 모두 7문제입니다. 메모를 하실 경우에는 문제 소책자 메모난에 하십시오. 그럼 시작하겠습니다.

1 문장을 2번 읽겠습니다. 이어서 선택지도 2번 읽겠습니다. 들으신 문장 내용과 일치하는 것을 하나 고르십시오. 다음 문제는 20초 후에 읽겠습니다.

1) 바쁘신 와중에도 찾아 주시니 몸 둘 바를 모르겠습니다.

→ お忙しい中お越しくださって、どうしたらよいかわかりません。

1

① 바쁜 사이에 왔다 가셨다니 황당하기 그지없습니다.

→ 忙しい中立ち寄って行かれたなんて、まったくとんでもないです。

② 바쁠 때 오셔서 어떻게 대처해야 할지 모르겠습니다.

→ 忙しいときにいらっしゃったので、どのように対応すればよいかわかりません。

❸ 바쁘신데도 불구하고 와 주셔서 황송하기 짝이 없습니다.

→ お忙しいのにも関わらずいらしてくださって、恐縮の限りです。

④ 바쁘신 가운데 조사해 주셔서 어찌해야 할지 모르겠습니다.

→ お忙しい中調査してくださって、どうしてよいかわかりません。

第54回　解答

2）여기서 잠깐 사건의 내막을 짚어 보도록 하겠습니다.　2

→ ここで少し事件の内実を考えてみたいと思います。

❶ 이쯤에서 잠시 사건이 발생하게 된 사연에 대해 알아보겠습니다.

→ ここらで少し事件が発生した事情について調べてみたいと思います。

② 여기서 잠깐 사건이 막을 내리게 된 이유를 알려 드리겠습니다.

→ ここで少し事件が幕を下ろした理由をお知らせいたします。

③ 여기서 잠깐 사건의 내부 관계자들을 지목해 보도록 하겠습니다.

→ ここで少し事件の内部関係者たちを指し示してみたいと思います。

④ 이쯤에서 잠시 사건이 일어난 장소를 확인해 보도록 하겠습니다.

→ ここらで少し事件が起こった場所を確認してみたいと思います。

Point 正答は①。問題文の내막「内幕、内実」は、事件などの出来事における表に現れない裏の事情や実情を意味するので、選択肢②の막「幕」や③の내부 관계자「内部関係者」、④の장소「場所」とは意味が違う。なお、짚어 보다は、「いろいろある中から一つを指す、指摘する」という意味があり、注目して取り上げ考察したり問い詰めたりしたいときに使う言葉である。

3）오로지 한 우물만 파는 모습이 마음 든든하네.　3

→ ただ一つのことに専念する姿が頼もしいね。

解　答

① 다른 우물도 몇 군데 더 파 보면 좋겠다.

   → 他の井戸も何箇所か掘ってみてほしい。

② 줄곧 한 부분에만 집착하는 모습이 마음에 든다.

   → ずっと一つの部分にだけ執着する姿が気に入った。

③ 고집스럽게 한 가지만 파고드는 인상이 강하다.

   → 頑固に一つのことだけ掘り下げる印象が強い。

❹ 변함없이 한 분야에 집중하는 모습이 믿음직스럽다.

   → 変わりなく一つの分野に集中する姿が信頼できる。

Point 正答は④。問題文の한 우물만 파다는、一つのことをひたすら掘り下げていくことを意味し、肯定的なニュアンスで使われる。選択肢②の집착하다はしがみついて執着することを意味し否定的なイメージを持つので誤答。

---

2 대화문과 선택지를 2번 읽겠습니다. 대화를 듣고 다음에 이어질 내용으로 가장 알맞은 것을 하나 고르십시오. 다음 문제는 20초 후에 읽겠습니다.

1) 여 : 구두 굽 좀 갈고 싶은데요.

   남 : 지금 신고 계신 신발이신가요?

   여 : 네, 시간 걸릴 거 같으면 나중에 다시 오고요.

   남 : (　**4**　)

[日本語訳]

女：靴のヒールをちょっと替えたいんですが。

第54回　　解 答

男：今履かれている靴ですか。

女：はい、時間かかるようなら、あとでまた来ますが。

男：（　　4　　）

❶ 그러시겠어요? 밀린 게 많아서요.

　　→ そうしてくださいますか。たまった仕事が多いので。

② 그렇다 쳐도 금방은 안 될 거예요.

　　→ そうだとしても、すぐにはできないと思いますよ。

③ 그렇다마다요. 좋을 대로 하시죠.

　　→ もちろんそうですよ。好きなようになさってください。

④ 그저 그래요. 감사합니다.

　　→ まあまあです。ありがとうございます。

Point 女性が、「時間かかるようなら、あとでまた来ますが」と言っているので、次の男性の言葉には時間があるかないかという内容の返事が予想される。選択肢①にある밀리다는、「溜まる、滞る」という意味で、ここでは仕事が立て込んでいて時間がないという意味を表しているので①が正答。③그렇다마다요の－다마다는、「～だとも」という意味で、相手の話を強く肯定する時に使われる。

2）여：지난번 클레임 들어온 거 어떻게 됐어요?

　　남：다행히도 별 탈 없이 잘 해결됐습니다.

　　여：공 들여 세운 탑도 무너지는 건 순식간이니까 고삐 늦추지 마세요.

　　남：（　　5　　）

解　答

[日本語訳]

女：この間クレームが入った件、どうなりましたか。

男：幸いにも、特に問題なく解決しました。

女：努力が無駄になるのも一瞬だから、気をゆるめないでください。

男：(　　5　　)

① 네, 무너지지 않도록 탑을 세우겠습니다.

　　→ はい、崩れないように塔を建てます。

❷ 네, 같은 실수 없도록 조심하겠습니다.

　　→ はい、同じ失敗がないよう注意します。

③ 네, 너무 조이지 않도록 고삐를 풀겠습니다.

　　→ はい、締めすぎないように手綱をゆるめます。

④ 네, 빠른 시일 안에 해결되도록 공을 들이겠습니다.

　　→ はい、なるべくはやく解決するように努力します。

3) 남：엄마, 여기 있던 상자 못 봤어요?

　　여：글쎄, 모르겠는데……. 잘 찾아 봐.

　　남：귀신이 곡할 노릇이네. 오늘 아침까지 여기 있었는데.

　　여：(　　6　　)

[日本語訳]

男：お母さん、ここにあった箱見なかった？

女：そうねえ、わからないけど…。よく探してみて。

第54回

解 答

男：本当に不思議だな。今日の朝までここにあったのに。

女：（ 　6　 ）

❶ 그러길래 내가 잘 챙겨 두라고 했지?

　　→ だから私がちゃんと片付けておきなさいって言ったでしょう？

② 뭐라고? 귀신이 나왔다고?

　　→ なんだって？　お化けが出たって？

③ 그럼, 내가 한 곡 할 테니까 들어 봐.

　　→ じゃあ、私が一曲歌うから聞いてみて。

④ 그래서 낮잠 자지 말라고 했지.

　　→ だからお昼寝するなって言ったじゃない。

3 대화문을 듣고 물음에 답하십시오.

1) 대화문을 2번 읽겠습니다. 여자의 생각으로 맞는 것을 하나 고르십시오. 다음 문제는 20초 후에 읽겠습니다. 　7

남 : 이 가게 옛날부터 한번 와 보고 싶었던 곳인데 어때?

여 : 그래? 근데 여기 선불 결제라고 돼 있네.

남 : 뭐 어때? 분위기만 좋으면 됐지.

여 : 에이, 주문할 때마다 일일이 돈 내는 거 난 별로야.

解　答

[日本語訳]

男：このお店昔から一度来てみたかったところなんだけど、ど
　　う？

女：そうなの？　でも、ここ先払いってなってるね。

男：別にいいじゃん。雰囲気さえよければ十分でしょう。

女：いやぁ、注文するたびに一々お金払うのは、私いまいちだな。

① 한 번쯤은 들어가 보고 싶었던 가게이다.

　　→ 一回くらいは入ってみたかったお店だ。

② 옛날부터 선불로 결제했는지 궁금하다.

　　→ 昔から先払いだったのか気になる。

❸ 계산은 마지막에 한꺼번에 하고 싶다.

　　→ お会計は最後にまとめてしたい。

④ 분위기가 좋으면 웬만한 것은 참을 수 있다.

　　→ 雰囲気がよければある程度のことは我慢できる。

2) 대화문을 2번 읽겠습니다. 여자의 주장으로 맞는 것을 하
　　나 고르십시오. 다음 문제는 20초 후에 읽겠습니다.　[8]

남：어, 지금 뭘로 접시를 닦고 계세요?

여：커피 내린 뒤에 남은 가루인데 이렇게 하면 비린내를 없애
　　주거든요.

남：그래도 그렇지 찌꺼기를 쓰는 게 좀 그렇지 않아요?

여：생각하기 나름이죠. 이건 쓰레기가 아니라 자원이라고요.

[日本語訳]

男：あれ、今なにでお皿を洗ってらっしゃるんですか。

女：コーヒーをいれたあとで残った粉なんですけど、こうすると生臭さをなくしてくれるんですよ。

男：でも、かすを使うのはちょっとあれじゃないですか？

女：考え方次第でしょう。これはゴミじゃなくて資源なんですよ。

① 커피 가루에서 나는 냄새를 없애야 한다.
   → コーヒーの粉から出る臭いを消さなければいけない。

② 찌꺼기가 남은 접시를 잘 닦아야 한다.
   → かすが残ったお皿をよく洗わなければいけない。

③ 사람은 각자의 사고 방식을 존중해야 한다.
   → 人は、それぞれの考え方を尊重しなければいけない。

❹ 버리는 것도 잘 활용하면 쓸모가 있다.
   → 捨てるものもちゃんと活用すれば役に立つ。

3) 대화문을 2번 읽겠습니다. 남자의 생각으로 맞는 것을 하나 고르십시오. 다음 문제는 20초 후에 읽겠습니다. ⃞9

남：집 떠나 학교 다니기 힘들지?

여：네. 엄마가 차려 주시던 밥상이 그립네요.

남：그렇지. 그 어떤 식당과도 비할 바가 아니지.

여：맞아요. 그걸 예전엔 미처 몰랐죠.

解　答

[日本語訳]

男：実家を離れて学校に通うのは大変でしょう？

女：はい。お母さんが用意してくれたご飯が恋しいですね。

男：そうでしょう。どんな食堂とも比べようがないよね。

女：そうですね。そのことを以前はわかっていませんでした。

① 엄마가 밥상을 차리는 모습이 그립다.
　　→ お母さんがご飯を用意している姿が恋しい。

❷ 엄마가 만들어 주는 음식이 최고다.
　　→ お母さんが作ってくれるご飯が一番だ。

③ 집에서 먼 학교를 다니고 싶지 않다.
　　→ 家から遠い学校に通いたくない。

④ 엄마의 손맛을 느낄 수 있는 식당이 좋다.
　　→ 母の味が感じられる食堂がいい。

4 문장을 듣고 물음에 답하십시오.

1) 문장을 2번 읽겠습니다. 문장의 요지로 맞는 것을 하나 고르십시오. 다음 문제는 30초 후에 읽겠습니다.　10

　추억의 직업이었던 버스 안내원의 복귀가 눈에 띈다. 고령화가 심각한 지역을 중심으로, 어르신들을 돕고 안전 사고를 예방하게 한다고 한다. 주로 중년 여성들을 중심으로 채용해 버

ス 이용객이 많은 날에 승하차 보조와 무거운 짐 들어주기, 노선 안내 등의 교통 서비스를 제공한다.

[日本語訳]

　懐かしの職業だったバス案内員の復活が目立つ。高齢化が深刻な地域を中心に、お年寄りを手伝い、事故防止に努めてもらうという。主に中年の女性を採用し、バスの利用客が多い日にバスの乗り降りの補助と重い荷物運び、路線案内等の交通サービスを提供する。

① 시골에서는 버스 안내원의 필요성이 대두되고 있다.
　　→ 田舎ではバス案内員の必要性が増してきている。

② 어르신들이 교통 사고 예방 운동에 열심이다.
　　→ お年寄りが交通事故防止運動に熱心だ。

❸ 옛날에 사라졌던 직업이 다시 부활했다.
　　→ 昔消えた職業がまた復活した。

④ 중년 여성들을 위해 교통 도우미 서비스를 제공한다.
　　→ 中年の女性たちのために交通補助サービスを提供する。

Point 本文では、時代の流れとともに無くなっていた職業のことを推憶の職業「懐かしの職業」といって、その職業が今になってまた復活していることを報じ、どういう仕事を担っているかを紹介している。①や④を選んだ受験者も多かったが、高齢化が深刻な地域が必ずしも田舎とは限らないし、必要性についてまでは言及してないので①は誤答。中年女性を採用して交通 도우미 サービス「交通補助サービス」を提供するのであって中年女性のために行われるサービスではな

解 答

いので④も誤答になる。

2) 문장을 2번 읽겠습니다. 문장 내용과 일치하는 것을 하나
   고르십시오. 다음 문제는 30초 후에 읽겠습니다. [11]

　본래 옛날에는 소주가 고급술이었다. 귀한 쌀을 재료로 사용
하기 때문이기도 했지만, 한 방울 한 방울 받아내는 정성스러
운 과정들을 통해 겨우 소량을 맛 볼 수 있는 술이었기 때문이
다. 그 후 물과 감미료를 첨가한 소주가 나오면서 누구나 값싸
게 마실 수 있는 대중적인 술이 되었다.

[日本語訳]
　もともと昔、焼酎は高級酒だった。貴重な米を材料として使用
するためでもあったが、一滴一滴丹精込めて(手間ひまかけて)抽
出する過程を経て、やっと少量を味わうことができるお酒だった
からである。その後、水と甘味料を添加した焼酎が登場してから、
誰でも安価に飲むことができる大衆的なお酒になった。

❶ 옛날 소주는 정성에 비해 얻을 수 있는 양이 적었다.
　　→ 昔の焼酎は手間ひまに対して得られる量が少なかった。
② 쌀이 아닌 재료를 사용하면서 소주 값이 싸졌다.
　　→ 米ではない材料を使用してから、焼酎の値段が安くなった。
③ 누구나 값싸게 마실 수 있는 대중 술은 물로 만들었다.
　　→ 誰でも安価に飲むことができる大衆的なお酒は水で造った。

④ 재료만 봐서는 그 술이 고급술인지 알 수 없다.
　　→ 材料だけを見ても、そのお酒が高級酒かどうかわからない。

Point 正答は①。選択肢②や③を選んだ受験者が多かったが、本文では水と甘味料を添加した「水と甘味料を加えた」、薄めた焼酎が出回ることで値段が安くなったと言っている。材料自体が変わったとは言ってないので②쌀이 아닌 재료를 사용하면서や、③물로 만들었다は誤答。

3) 문장을 2번 읽겠습니다. 문장 내용과 일치하는 것을 하나 고르십시오. 다음 문제는 30초 후에 읽겠습니다. 　12

　가장 이상적인 식사 시간은 아침에 일어나서 1시간 내에 아침 식사를 하고 잠자리에 들기 3～4시간 전에 저녁 식사를 하는 것이다. 점심과 오후 간식은 4시간 간격으로 먹는 것이 좋다. 저녁 식사 후에는 아무 것도 먹지 않고 12시간 빈 속을 유지하는 것도 중요하다.

[日本語訳]
　最も理想的な食事時間は、朝起きて1時間以内に朝食をとり、寝床に入る3～4時間前に夕飯をとることだ。昼食と午後のおやつは4時間の間隔で食べるのがよい。夕飯のあとはなにも食べず、12時間空腹を維持することも重要だ。

① 빈 속인 채 잠자리에 들지 않는 게 좋다.
　　→ 空腹のまま寝床に入らないほうがよい。

解 答

② 저녁 식사 후에는 가능하면 일찍 자는 게 좋다.

　→ 夕飯のあと、できれば早く寝たほうがよい。

❸ 오후 간식은 점심 먹은 후 4시간 뒤에 하는 게 좋다.

　→ 午後のおやつは昼食を食べたあと、4時間後にとったほうがよい。

④ 음료수는 잠자리에 들기 전에 마셔도 된다.

　→ 飲み物は寝床に入る前に飲んでもよい。

5 대화문을 2번 읽겠습니다. 들으신 다음에【물음1】~【물음2】에 답하십시오. 다음 문제는 60초 후에 읽겠습니다.

남 : 오늘은 제가 아내 대신 장 봐서 가야 하는데 귀찮아 죽겠어요.

여 : 전 조금 전에 인터넷으로 새벽 배송 주문했어요.

남 : 그거 정말 저녁 늦게 주문해도 아침 일찍 배달해 줘요?

여 : 그럼요. 칼같이 갖다 주니까 아침 준비도 문제 없고 재료도 신선해요.

남 : 당장 이용해야겠네. 그런데 내일 아침은 그렇다 치고 오늘 저녁이 걱정이네요.

여 : 오늘 한 끼만 그냥 있는 걸로 때우면 어때요?

남 : 그래야 되겠네요.

[日本語訳]

男 : 今日は私が妻の代わりに買い物して帰らなきゃいけないから、

面倒でしょうがないですよ。

女：私はさっきインターネットで「早朝配送」を注文しましたよ。

男：それ本当に夕方遅く注文しても朝早く配達してくれるんですか。

女：もちろんです。正確に持ってきてくれるから、朝食の準備も問題ないし、材料も新鮮ですよ。

男：すぐ利用しないと。でも、明日の朝はそれでいいとして、今日の夕飯が心配です。

女：今日の一食だけ、ありあわせのもので済ますのはどうですか。

男：そうするしかなさそうですね。

【물음1】　여자의 주장과 **일치하지 않는 것**을 하나 고르십시오.

⟦13⟧

① 한 끼 정도는 있는 재료로 대충 해 먹어도 괜찮다.
　→ 一食ぐらいはありあわせの材料で適当に作って食べても大丈夫だ。

② 배달 시간이 정확해서 평소와 다름없이 준비할 수 있다.
　→ 配達の時間が正確なので、普段と変わりなく準備することができる。

③ 굳이 힘들게 직접 장 보러 가지 않아도 된다.
　→ わざわざ苦労して自分で買い物に行かなくてもよい。

❹ 신선한 재료를 받으려면 저녁 늦게 주문하는 게 좋다.
　→ 新鮮な材料を受け取ろうと思ったら、夕方遅くに注文するのがよい。

解 答

Point 女性の主張と一致しない④が正答。対話文の５行目で女性の話に出ている칼같이 갖다 주니까の칼같이「刀のように」は、ナイフで切ったように正確だ、刀を振り下ろすときのようにすばやいという意味で使われる表現である。그 사람은 6시가 되면 칼같이 퇴근한다というと「6時になるやいなや退社する」という意味になる。칼같이 퇴근하다を短くして칼퇴근、칼퇴ともいう。その他の使い方として、SNS上で送ったメッセージに対して素早く返事をすることを칼답といい、抜け目のないきちんとした人や時間にうるさい人を칼같은 사람という。

【물음２】　대화 후에 남자가 할 행동으로 알맞은 것을 하나 고르십시오.　14

①　귀찮지만 어쩔 수 없이 장 보러 간다.

　　→ 面倒だが、仕方なく買い物に行く。

❷　오늘 저녁은 집에 있는 재료를 활용한다.

　　→ 今日の夕飯は家にある材料を活用する。

③　제시간에 상품을 받기 위해 계획표를 짠다.

　　→ 決まった時間に商品を受け取るため、計画表を作る。

④　정말 새벽에 배달해 주는지 확인해 본다.

　　→ 本当に朝方に配達してくれるのか確認してみる。

第54回　解　答

6 문장을 2번 읽겠습니다. 들으신 다음에【물음 1】~【물음 2】에 답하십시오. 다음 문제는 60초 후에 읽겠습니다.

　잠은 자연스러운 생리 현상이기 때문에 편안히 잠들고 유지할 수 있도록 하는 안정적인 침실 환경이 필요하다. 질 높은 수면을 취하기 위해 중요한 것이 '온도'와 '빛'이다. 그렇다면 가장 적당한 침실 온도는 몇 도일까? 다소 의아스러울 수 있겠지만, 여러 논문에 따르면 적절한 침실 온도는 섭씨 19도 정도이다. 이보다 지나치게 춥거나 더우면 깊은 잠을 자기 어렵다. 겨울철 난방이 안 되거나, 한 여름 야간 기온이 섭씨 25도 이상인 밤에는 대부분의 사람들은 잠자는 것에 어려움을 겪는다.

［日本語訳］

　眠りは自然な生理現象であるため、リラックスして眠りにつき、維持できるようにする安定した寝室環境が必要だ。質の高い睡眠をとるため重要なことが「温度」と「光」だ。それでは、最も適した寝室の温度は何度だろうか。多少信じがたいかもしれないが、いくつもの論文によると、最適な寝室温度は摂氏19度ぐらいだ。これより寒すぎたり暑すぎると深い眠りにつくのが難しい。冬季に暖房がきかなかったり、真夏の夜間の気温が摂氏25度以上の夜には、大部分の人は寝つきの悪さを感じる。

解 答

【물음１】　문장의 제목으로 가장 알맞은 것을 하나 고르십시오.

15

❶ 숙면을 위한 침실 온도
　→ 熟睡するための寝室温度

② 계절별로 보는 침실 환경
　→ 季節ごとに見た寝室環境

③ 침실에 관한 논문 소개
　→ 寝室に関する論文紹介

④ 숙면을 취하기 위한 노력
　→ 深い眠りをとるための努力

【물음２】　문장의 내용과 일치하는 것을 하나 고르십시오.　16

① 잠은 생리 현상이기 때문에 인간이 어찌할 도리가 없다.
　→ 眠りは生理現象であるため、人間がどうにかするすべがない。

❷ 적정 숙면 온도가 19도인 것은 의외이다.
　→ 適正睡眠温度が19度であるのが意外だ。

③ 일상 생활에서는 25도가 적절한 온도이다.
　→ 日常生活においては25度が適切な温度だ。

④ 수면에 관한 여러 논문들의 주장이 엇갈린다.
　→ 睡眠に関するいくもの論文の主張が食い違っている。

Point 本文４行目の다소 의아스러울 수 있겠지만의 의아스럽다는「疑わしい、腑におちない」という意味で、最適な寝室温度が19度であるこ

第54回　解　答

とが意外であると述べているので②が正答。本文を見ると眠りは自然な生理現象だから、リラックスして眠れる環境づくりが必要だとは論じているが、人間の手でどうにかできるものではないとは論じていないので①は誤答。③の内容も一般的な常識としてはもっともらしい内容であるが本文で述べられているわけではないので誤答。

7 문장을 2번 읽겠습니다. 문장을 듣고 괄호 부분의 일본어 번역으로 맞는 것을 하나 고르십시오. 다음 문제는 30초 후에 읽겠습니다.

1) 개중에는 (프로 뺨치게 끼가 있는) 아이도 있었다.　　**17**

→ その中には(プロ顔負けの才能を持つ)子供もいた。

① プロを見て頬を赤くする
② プロからビンタを食らった
❸ プロ顔負けの才能を持つ
④ 強いプロ意識のある

2) 여태껏 (코빼기도 안 비치더니) 이제 와서 자기 좀 도와 달라고?　　**18**

→ 今まで(全然顔も出さなかったのに)今頃になって自分を手伝えって?

❶ 全然顔も出さなかったのに
② はなも引っ掛けなかったのに

解 答

③ 高飛車に出なかったのに

④ 全く口出ししなかったのに

3）（웬만큼 친한 사이가 아닌 다음에야） 그렇게 행동할 리가 없지. [19]

→ （よほど気の置けない間柄でない限り）そんな風に行動するわけがないだろう。

① よほど気を使いたくない間なのか

② ある程度親しくなった後では

③ 相当気の知れた間柄になるべく

❹ よほど気の置けない間柄でない限り

4）밑져야 본전인데（지레 겁을 먹어서야 되겠어요?） [20]

→ ダメでもともとなのに（やる前から怖気付いてはいけません。）

① あまり脅かしてはいけません。

② そんなに及び腰でいいのですか?

❸ やる前から怖気(おじけ)付いてはいけません。

④ あまり怖がり過ぎではないですか?

Point 問題文の지레は「先だって」という意味で、겁을 먹다と一緒に使われる場合が多い。問題文は直訳すると「始まる前から怖がってどうするんですか?」だが「怖がってはいけない」という意味になる反語的な表現である。②を選んだ受験者も多かったが、及び腰とは遠慮したり恐れたりしているような中途半端な態度を意味する言葉なので誤答。

第54回 解答 （＊白ヌキ数字が正答番号）

필기 문제와 해답

1 （　　　） 안에 들어갈 말로 가장 알맞은 것을 하나 고르십시오.

1) 우리 사장님은 모든 직원과 （ **1** ） 없이 대화를 나누신다.

→ 我が社の社長は全ての社員とわけへだてなく対話をされる。

① 견지　→〈見地〉見地
❷ 격의　→〈隔意〉わけへだて
③ 시위　→〈示威〉デモ
④ 비리　→〈非理〉道理にはずれること

Point 正答②の격의〈隔意〉は「隔てのある心」を意味しており、後ろに없다を伴うことが多い。격의 없이 대하다というと「遠慮せず打ち解けて接する」という意味で、主に上の立場の人が下の立場の人に接する際の態度について表現する言葉である。

2) 별로 관심 없는 기사여서 （ **2** ）로/으로 읽고 지나갔어요.

→ あまり関心ない記事なのでうわの空で読みとばしました。

① 단골　→ 行きつけ　　② 응석　→ 甘えること
③ 잠꼬대　→ 寝言　　❹ 건성　→ うわの空

Point 正答④の名詞건성は、注意を向けず適当にするさまを表す言葉であ

解 答

る。 그는 일을 건성건성으로 한다「彼は仕事を適当にする」のように2回繰り返して건성건성으로と言うこともできる。②や③を選んだ受験者も多かったが、問題文は別に 関심 없는 기사여서「あまり関心のない記事なので」ざっと読んだとなっており、意味的に②と③は誤答。

3) 오랜만에 만난 그녀는 예전과는 (⬜3) 다른 모습이었다.
→ 久しぶりに会った彼女は以前とは全く違う姿でした。

① 곤히 → ぐっすり ❷ 사뭇 → 全く
③ 발딱 → がばっと ④ 즉각 → 即座に

Point 正答②の사뭇は問題文のように全然違う様子をいうときに使う表現である。その他に、10년만에 만난 그녀를 보고 사뭇 감격한 모습이었다「10年ぶりに会った彼女を見てとても感激した様子だった」のように「しみじみ身に染みるほどとても」という意味もある。③を選んだ受験者が多かったが、발딱は座っていたり横になっていた人が急に起き上がったり立ち上がる様子を表す副詞である。例えば깜짝 놀란 그녀는 자리에서 발딱 일어났다「びっくりした彼女は席からぱっと立ちあがった」のように使う。

4) 새로운 시대에 (⬜4) 인재를 육성해 나갑시다.
→ 新しい時代に即した人材を育成していきましょう。

❶ 부응하는 → 〈副應-〉即した
② 지탱하는 → 〈支撐-〉支える
③ 섭취하는 → 〈攝取-〉摂取する

第54回 解答

④ 우회하는 → 〈迂廻-〉迂回する

5) 부모가 자기 자식만 (　5　) 안 되지요.
→ 親が自分の子供ばかりひいきしてはいけませんよ。

① 치켜뜨면 → 目をつり上げては

② 부대끼면 → 苦しめられては

❸ 싸고돌면 → ひいきしては

④ 쏘다니면 → 歩き回っては

Point 正答③の싸고돌다は「あるものを中心にしてその周りをしきりに動く」、「肩を持ったりかばって行動する」という意味を持つ動詞である。単純に味方をするというより度をすぎてかばうというニュアンスがあるので否定的な印象を持たせる表現である。①や②を選んだ受験者も多かったが、問題文は親が自分の子供だけをかわいがってはいけないという意味の文なので①や②は意味的に誤答。

6) 여름철에는 넥타이를 매지 않아도 (　6　).
→ 夏季はネクタイを締めなくても差し支えない。

① 능란하다 → 熟達している　❷ 무방하다 → 構わない

③ 막막하다 → 果てしない　④ 누추하다 → むさ苦しい

Point 正答②の무방〈無妨〉하다は「差し支えない」「差しさわりない」ことを意味する形容詞である。例えば다른 사람이 들어도 무방한 이야기「他の人が聞いても差しさわりのない話」のように使うが、良いとか悪いとかではなく距離をおいて関わらないでいる感じで使う表現なので괜찮다「良い、大丈夫」とは使い方が異なる。④を選んだ受

解 答

験者が多かったが、누추하다は「不潔で薄汚い」という意味の形容詞で、누추하지만 잠깐들어 오세요「散らかってますがどうぞお入りください」、누추한 행색을 보이고 싶지 않다「薄汚い身なりを見せたくなかった」のように使う。

7) 생각만 해도 눈물이 (　　7　　) 돌 정도로 마음이 아프네요.

→ 考えただけでも涙がじんとにじむほど心が痛いですね。

❶ 핑　→ じんと　　　② 쿡　→ ちくちく
③ 쑥　→ ぽこんと　　④ 뺑　→ パンと

Point 擬態語핑は「非常に早く一周回る様子」を表す言葉であり돌다と一緒に使われる。立ちくらみを表現するときに앉았다 일어날 때 눈앞이 핑 돌면서 어지러워요「座って立ち上がるとき目の前が回ってめまいがします」のように使う。また「にわかに涙ぐむ様子」をいうときにも使われるので①が正答になる。③を選んだ受験者が多かったが、쑥は「ひどく突き出るかへこんでいるさま」を表す擬態語である。問題文のように涙を使った例文を挙げるなら울던 아이가 엄마에게 안기자 어느새 눈물이 쑥 들어갔다「泣いていた子供が母親に抱っこされるやいつの間にか涙がすっと引いた/ぱっと止んだ」のように使う。

8) (　　8　　) 말 하지 말고 내가 시키는 대로 해.

→ つべこべ言わないで言われたとおりにしなさい。

① 늦　→ 遅い　　　② 풋　→ 初物の
③ 숫　→ 混じり気のない　❹ 잔　→ 細かい

9）누구나 타고난 복을 （　**9**　）권리가 있다.

→ 誰でも生まれ持った幸せを享受する権利がある。

① 누빌　→ 縫う　　　　　❷ 누릴　→ 享受する
③ 내걸　→ 掲げる　　　　④ 놀릴　→ からかう

10）A：어제 산책 중에 （　**10**　）을 당하셨다면서요?

　　B：말도 마세요. 지나가던 개한테 갑자기 물렸지 뭐예요.

→ A：昨日、散歩中にひどい目に遭われたそうですね。
　　B：さんざんでした。通りかかった犬にいきなり噛まれたんですよ。

① 해임　→ 解任　　　　② 따돌림　→ のけ者
❸ 봉변　→ ひどい目　　④ 배신　→ 裏切り

Point 正答は③。対話文のBにとっていきなり犬に噛まれたのはとんだ災難である。このように予想しなかったひどい目にあうことを봉변을 당하다という。②を選んだ受験者も多かったが、Bが散歩中にたまたま通りかかった犬にいきなり噛まれたのであって誰かにいじめられたわけではないので誤答。

2（　　　）안에 들어갈 말로 가장 알맞은 것을 하나 고르십시오.

1）얘기 내용이 얼마나 우습던지 （　**11**　）웃었어요.

→話の内容があまりにもおかしくて腹を抱えて笑いました。

解 答

① 가슴을 조이고　→ 気を揉んで

② 코를 찌르고　→ 鼻を突いて

❸ 배꼽을 잡고　→ 腹を抱えて

④ 눈을 씻고　→ 目を皿にして

2）왜 그런 행동을 했는지 이제 와서 （　12　） 후회해도 아무 소용이 없다.

→ なぜそんな行動をしたのか、今になって嘆き悲しんで後悔してもなんの意味もない。

① 공을 쌓고　→ 努力を重ねて

❷ 땅을 치고　→ 嘆き悲しんで

③ 벽을 쌓고　→ 交わりを絶って

④ 새끼를 치고　→ 繁殖して

3）（　13　）이라고 실제로 보니까 가지고 싶어지네요.

→ ものを見ると欲が出ると言いますが、実際に見ると欲しくなりますね。

❶ 견물생심　→ 〈見物生心〉ものを見ると欲が出る

② 부전자전　→ 〈父傳子傳〉父子相伝

③ 적반하장　→ 〈賊反荷杖〉盗人猛々しい

④ 안하무인　→ 〈眼下無人〉傍若無人

第54回　解　答

4) A : 여자친구가 헤어지재.

B : 갑자기? 완전 (　14　)이네.

→ A : 彼女が別れようって言うんだ。
　　 B : 突然？　晴天の霹靂だね。

❶ 마른 하늘에 날벼락

　　→ 晴天の霹靂

② 시장이 반찬

　　→ 空腹にまずい物なし

③ 티끌 모아 태산

　　→ 塵も積もれば山となる

④ 시작이 반

　　→ 始めさえすれば半分は成し遂げたも同然

3 밑줄 친 부분과 바꾸어 쓸 수 있는 것을 하나 고르십시오.

1) 시간 관계상 대략 <u>요약해서</u> 보고 드리겠습니다.　　14 15

→ 時間の関係上、おおよそ<u>要約して</u>ご報告いたします。

① 편찬해서　→ 編纂して　　② 인용해서　→ 引用して

❸ 간추려서　→ 要約して　　④ 수그려서　→ (頭を)下げて

解 答

2）A：회의 잘 끝났어요?

B：아니, 과장님이 자꾸 <u>트집을 잡는</u> 바람에 애 먹었어.

→ A：会議、無事に終わりましたか。
B：いや、課長が何度も<u>難癖をつける</u>せいで苦労したよ。　16

① 봉을 잡는　　　→ うまい仕事にありつける

❷ 딴지를 거는　　→ 文句を言う

③ 파리를 날리는　→ 閑古鳥が鳴いている

④ 도를 닦는　　　→ 道を極める

Point 対話文のトゥ집을 잡다は「いちゃもんつける」「ケチをつける」といっ
た意味の慣用句で、選択肢②딴지를 걸다も「言いがかりをつける」
「突っかかる」という意味なので②が正答。③を選んだ受験者も多か
ったが、파리를 날리다は「暇で営業や事業がうまくいかない」とい
う意味で、閑古鳥が鳴いているお店の状況をいうときに使われる表
現なので誤答。

3）갖은 고생 끝에 얻은 성과이기 때문에 더욱 자랑스럽다.

→ <u>度重なる苦労</u>の末に得た成果なので、より誇らしい。　17

① 횡설수설　→〈横説竪説〉でたらめを言うこと

② 수수방관　→〈袖手傍觀〉手をこまねいて眺めてばかりいる

③ 과대망상　→〈誇大妄想〉誇大妄想

❹ 천신만고　→〈千辛萬苦〉様々な苦労を重ねること

4） 우리 아이는 용돈을 줘도 줘도 끝이 없어요.　　　18

　　→ うちの子はお小遣いをあげてもあげてもきりがありません。

　　① 우물 가서 숭늉 찾기예요

　　　　→ 木によりて魚を求むですよ

　　② 불난 집에 부채질 하기예요

　　　　→ 怒った人をますます怒らせますよ

　　❸ 밑 빠진 독에 물 붓기예요

　　　　→ 焼け石に水ですよ

　　④ 다 된 죽에 코 풀기예요

　　　　→ 完成したものを台無しにしますよ

4 （　　　　） 안에 들어갈 말로 가장 알맞은 것을 하나 고르십시오.

1） 이 성금이 다소（　19　） 도움이 되기를 바라는 바입니다.

　　→ この寄付金が多少（　19　）役立つことを願う次第です。

　　❶ 나마　　　→ ～なりとも

　　② 토록　　　→ ～まで

　　③ 더러　　　→ ～に

　　④ 마따나　　→ ～（の言う）とおり

解 答

2） 전문가도 모르는데 내가 （ 20 ） 뭘 알겠어?

→ 専門家もわからないのに、僕が（ 20 ）なにもわからないよ。

① 보노라면 → 見ていたら　**❷** 본들 → 見たとて

③ 보고서야 → 見てはじめて　④ 보다가 → 見ている途中で

Point ②の-(으)ㄴ들は、例えば서둘러 간들 지각할 게 뻔하다「急いで行ったって遅刻するに決まっている」のように前節の内容を仮定して後節でそれを否定的に述べるときに使う接続語尾である。問題文は、専門家も分からないのに例え自分が見たとしても(仮定)分かるわけがない(否定的)という意味の文なので②が正答。③を選んだ受験者も多かったが、-고서야は「～してからやっと」「～してはじめて」という意味で、그의 설명을 듣고서야 사태를 이해할 수 있었다「彼の説明を聞いてはじめて事態が理解できた」のように使う。

3） A : 엄마, 내일 저녁 어디로 예약할까요?

　　B : 난 아무데나 괜찮으니까 네가 좋을 대로 （ 21 ）.

→ A : お母さん、明日の夕ご飯どこ予約しようか。
　 B : 私はどこでも大丈夫だから、あなたが好きなように（ 21 ）。

① 합쇼 → なさいませ　② 할걸 → すればよかった

③ 함세 → するよ　　　**❹** 하렴 → しなさい

4） 그는 남녀노소를 （ 22 ） 모두에게 사랑받는 국민 가수다.

→ 彼は老若男女を（ 22 ）みんなに愛されている国民的歌手だ。

第54回　解　答

① 둘째 치고　→ さておいて　　② 팽개치고　→ 放っておいて

❸ 막론하고　→ 問わず　　④ 고사하고　→ どころか

Point 正答③の막론하고は、「論ずる余地がない」という意味で、問題文の남녀노소를 막론하고「老若男女問わず」の他に이유 여하를 막론하고「理由如何を問わず」もよく使われる表現である。②を選んだ受験者も多かったが、팽개치다は「いらついたり気に入らなくて投げ捨てる、放り出す」という意味なので誤答。

5 (　　　) 안에 들어갈 말로 **알맞지 않은 것**을 하나 고르십시오.

1) 필요한 장비가 (　**23**　) 대로 작업을 시작하겠습니다.
→ 必要な道具が(　**23**　)次第、作業を始めます。

① 갖춰지는　→ 備えられ　　② 구비되는　→ 用意され

③ 정비되는　→ 整備され　　❹ 포개지는　→ 重なり

2) 이로써 어느 방식이 맞는지 (　**24**　) 이 난 셈이다.
→ こうして、どの方式が合うのか(　**24**　)がついたわけだ。

① 판가름　→ 優劣　　② 결판　→ 決着

③ 판명　→ 判明　　❹ 파탄　→ 破綻

Point 판가름이 나다「優劣がつく」、결판이 나다「決着がつく」、판명이 나다「判明する」、파탄이 나다「破綻する」のように、どれも나다と一緒

78

解 答

に使われる連語である。問題文はどの方式が合うのか結論が出たという内容なので④の파탄だけ違う意味になる。

3) A : 이제 와서 그런다고 뭐가 달라져?

B : 누가 (　25　)? 기적이라도 일어날지.

→ A : 今になってそうしたからといって、なにが変わるの？

B : 誰が(　25　)？　奇跡だって起こり得るよ。

① 아남　　→ わかるかね　　② 알아　　→ わかる

❸ 알던　　→ わかっていたか　④ 알겠어　→ わかるだろうか

Point 正答③の-던?は-더냐?の縮約形で、어제 만난 사람 어떻던?「昨日会った人どうだった？」のように過ぎたことをふり返って聞く終止語尾。対話文ではAのことばに対して、Bが反語的な言い方で、奇跡が起きて事態が変わるかもしれないと軽く反論する内容になっているので③だけふさわしくない表現になる。

6 다음 문장들 중에서 <u>틀린 것</u>을 하나 고르십시오.

1)　　　　　　　　　　　　　　　　　　　　　 26

❶ 그 일은 <u>정식한 절차(×)→정식 절차(○)</u>를 밟아 진행될 것이다.

→ その件は正式な手続きを踏んで行われるだろう。

② 기계만이 할 수 있는 정밀한 작업이다.

→ 機械だけができる精密な作業だ。

③ 상황이 어려울수록 정확한 판단력이 중요하다.

> → 状況が困難なほど、正確な判断力が重要だ。

④ 정직한 사람이 잘되는 사회가 되면 좋겠다.

> → 正直な人がうまくいく社会になってほしい。

Point 正答は①。①の정식한 절차は間違いで정식 절차が正しい。하다がつく形容詞を連体形にする場合、選択肢②の정밀한「精密な」や③の정확한「正確な」、④の정직한「正直な」のように訳されることが多いが、日本語で「〜な」だからといってすべてが〜한となるわけではないことに注意が必要。①の정식「正式」には하다がつかないので정식한という言葉もない。정식 절차를 밟아、정식으로 절차를 밟아が正しい表現。

2) 　　　　　　　　　　　　　　　 27

① 어머니의 남동생이니까 내게는 외삼촌인 셈이다.

> → 母の弟だから、私にとっては母方のおじにあたる。

❷ 무엇이 좋은지 둘의 중에서(×)→둘 중에서(○) 하나 고르시기 바랍니다.

> → なにがよいか二つのうちから一つ選んでくださいますようお願いします。

③ 며칠 사이에 그의 실력이 부쩍 좋아진 것 같았다.

> → 何日かの間に、彼の実力がぐっと上がったようだった。

④ 12월의 눈 덮인 거리는 정말 환상적이었다.

> → 12月の雪に覆われた道は本当に幻想的だった。

Point 正答は②。②の「複数ある中から」という意味の依存名詞중の前には、형제들 중에서 누가 제일 큰지 알아?「兄弟の中で誰が一番背が高

解　答

いか知ってる?」のように助詞의はつけないので注意。

7 모든 (　　) 안에 공통으로 사용할 수 있는 말로 가장 알맞은 것을 하나 고르십시오.

1)・그의 말을 듣고 있자니 숨통이 (막힐) 듯 했다.

　　→ 彼の言葉を聞いていると、息が(詰まる)ようだった。

　・기가 (막히게) 맛있는 음식을 대접 받았다.

　　→ (ものすごく)おいしいご飯をごちそうになった。

　・양 옆이 (막힌) 자리에 앉았다. 　　　　　　|28|

　　→ 両脇が(ふさがった)席に座った。

　① 트이다　→ 開く

　② 차다　　→ 満ちる

　③ 멎다　　→ 止まる

　❹ 막히다　→ 詰まる、ふさがる

2)・현대 사회의 모순에 대해 일침을 (놓았다).

　　→ 現代社会の矛盾に対して厳しい忠告を(した)。

　・갑자기 말을 (놓으라니) 곤란합니다.

　　→ 急に(敬語をやめろと言われても)困ります。

　・이제 마음을 (놓고) 열심히 살아 보세요. 　　|29|

　　→ もう(安心して)一生懸命生きてください。

① 붙이다　→ 付ける

❷ 놓다　　→ 置く

③ 걸다　　→ かける

④ 가하다　→ 加える

Point 正答は②。일침을 놓다「厳しく忠告する」、말을 놓다「敬語をやめる、タメ口にする」、마음을 놓다「安心する」のように、どれも動詞놓다が使える表現である。③を選んだ受験者も多かったが、걸다は말을 걸다「話しかける」以外には使えないので誤答。

8 다음 문장들 중에서 한글 표기가 **틀린 것**을 하나 고르십시오.

1)　　　　　　　　　　　　　　　　　　　　　　|30|

❶ 선배님을 만나면 항상 깎듯이(×)→깍듯이(○) 인사해라.

　→ 先輩に会ったらいつも礼儀正しく挨拶しなさい。

② 그 친구는 워낙 깍쟁이라서 돈을 잘 안 쓴다.

　→ その友達はなにしろけちなので、お金をあまり使わない。

③ 연필을 쓰다 보면 연필깎이는 필수품이 된다.

　→ 鉛筆を使っていると、鉛筆削りは必需品になる。

④ 깎아지른 절벽 아래로 강이 흐르고 있다.

　→ 断崖絶壁の下に河が流れている。

Point ①의 깍듯이는, 깍듯하다「非常に礼儀正しい」という意味の形容詞が副詞になったもの。깎듯이と表記する言葉はない。②의 깍쟁이는、

解 答

「けちで特に自分に関する利害に抜け目のない人」を意味する名詞である。④の깎아지르다「切り立つ」は깎아지른 절벽で「切り立った絶壁、断崖絶壁」という意味になる。

2) $\boxed{31}$

① 외국으로 유학을 가겠다는 결심을 굳혔다.

→ 外国に留学しようという決意を固めた。

❷ 정답을 맏힌(×)→맞힌(○) 분에게는 상품을 드립니다.

→ 正解を当てた方には商品をさしあげます。

③ 땅속에 묻힌 유적을 발굴하는 작업이다.

→ 地中に埋まった遺跡を発掘する作業だ。

④ 동굴 안에 갇혔던 소년들이 무사히 구출됐다.

→ 洞窟の中に閉じ込められていた少年たちが無事に救出された。

3) $\boxed{32}$

❶ 한쪽 어깨로만 매지(×)→메지(○) 않는 게 좋다.

→ 片方の肩だけにかけないほうがよい。

② 방금 맸던 끈을 다시 풀었다.

→ たった今結んだひもをまたほどいた。

③ 따뜻한 메밀국수 맛이 끝내준다.

→ 温かいそばが、とてもおいしい。

④ 메마른 땅인데도 꽃이 예쁘게 피었다.

→ やせた土地でも花が美しく咲いた。

Point ①のリュックなどを背負うときに使う動詞は메다で、肩にショルダーバッグなどをかけるときにも使う。매다は구두 끈을 매다、넥타이를 매다のように「(ひもやネクタイなどを)結ぶ、締める」というときに使う。

9 ( ) 안에 들어갈 표현으로 가장 알맞은 것을 하나 고르십시오.

1) A : 출출한데 간단하게 먹을 만한 거 없을까?

B : 글쎄요, 이 시간에 뭘 만들기도 그렇고…….

A : 만들긴. (33)

B : 그럴까요? 전화번호가 어디 있더라?

→ A : 小腹が空いたんだけど、簡単に食べられるものないかな？
B : そうですねえ。この時間になにか作るのもなんだし…。
A : 作るなんて。(33)
B : そうしましょうか。電話番号どこにあったかな。

① 냉장고 좀 뒤져 봐야겠는데?

→ 冷蔵庫ちょっとあさってみないと。

② 나가서 한탕 하고 올까?

→ 出かけて一仕事して来ようか？

③ 그냥 참고 자야지 뭐.

→ もう我慢して寝ないと。

解　答

❹ 간편하게 시켜 먹자고.

　→ 手軽に出前たのもうよ。

2) A : 조깅 그만두셨다면서요?

　B : 어휴, 미세먼지 때문에 밖에서 못 뛰어요.

　A : 그렇죠? (　　34　　)

　B : 그래서 요즘은 가정에서 하는 운동이 유행이라잖아요.

　→ A : ジョギングおやめになったそうですね。

　　B : はあ、PM2.5のせいで外で走れませんよ。

　　A : そうですよね。(　　34　　)

　　B : だから最近は家の中でする運動がはやっているそうじゃないですか。

① 저도 할 명분이 안 서더라고요.

　→ 私もする名分が立ちませんでした。

② 저도 엄청 실내를 싫어하거든요.

　→ 私もすごく室内が嫌いなんですよ。

❸ 저도 할 엄두가 안 나더라고요.

　→ 私もする気になりませんでしたよ。

④ 저도 얼마나 열심히 청소하는데요.

　→ 私もどれほど一生懸命掃除しているか。

3) A : 무슨 좋은 일 있었어요? 콧노래를 다 흥얼거리고.

　B : 그럼, 있었지. 아주 신나는 일이.

　A : 뭔데요? 궁금하네.

第54回　　解答

B : 때가 되면 차차 알게 될 거야.

A : (　35　)

B : 안 돼, 금방 알려 주면 재미없단 말이야.

→ A : なにかいいことあったんですか？　鼻歌なんてうたっちゃって。
　　B : もちろんあったよ。すごくわくわくすることが。
　　A : なんですか？　気になるなあ。
　　B : 時期が来たらだんだんわかるようになるよ。
　　A : (　35　)
　　B : だめだよ。すぐに教えたらおもしろくないんだから。

① 정 그러시다면 제가 포기할까요?

　　→ 本当にそうなさるなら、私が諦めましょうか。

❷ 에이 속 태우지 말고 얼른 말해 봐요.

　　→ もう、焦らさないではやく言ってくださいよ。

③ 그때가 점점 다가오기를 기다리라고요?

　　→ 時期がだんだん近づいてくるのを待てって言うんですか。

④ 이래 보여도 저도 콧노래 할 줄 안다고요.

　　→ こう見えても、私も鼻歌うたうことできるんですよ。

4) A : 그렇게 태평하게 TV나 보고 있을 때니?

　　B : 이것만 보고 들어갈게요.

　　A : 그게 벌써 몇 시간째야.

　　B : (　36　)

　　A : 어휴, 말은 그럴싸하게 잘한다니까.

　　→ A : そんなのんきにテレビ見てる場合なの？

解 答

B : これだけ見て行きますよ。
A : それでもう何時間目なの？
B : (　 **36** 　)
A : まったく、もっともらしいこと言うのがうまいんだから。

① 당장 끄고 들어가면 될 거 아녜요.

→ すぐに消して行けばいいじゃないですか。

② 몇 시간 봤는지 혹시 시간 재셨어요?

→ 何時間見たか、もしかして時間計られたんですか？

❸ 공부도 쉬엄쉬엄 해야 능률이 오른다고요.

→ 勉強も休み休みしないと、能率が悪いんですよ。

④ 자꾸 그러시니까 더 이상 못 해 먹겠어요.

→ 何度も言われるから、これ以上やってられませんよ。

10 다음 글을 읽고 【물음】에 답하십시오.

1)

　마라톤은 다른 종목과는 달리 시간을 많이 잡아먹는 종목이고 경기가 2시간 넘게 진행되기 때문에 보는 것도 하는 것만큼이나 어지간한 근성 없이는 고되고 힘들다. 그러나 불굴의 의지로 인간의 한계에 도전하며, 초인적인 능력과 인내를 요구하는 것이 마라톤 경기의 특성이다. 그러므로 마라톤은 개인 종목임에도 불구하고, 다른 종목들에 비해 전하는 감동이 많은 종목이기도 하다.

[日本語訳]

　マラソンは他の種目とは異なり多くの時間を要する種目で、競技が２時間以上行われるため、見るのも、するのと同じくらい、それなりに根性がないと耐えがたく、大変である。しかし、不屈の意志によって人間の限界に挑戦し、超人的な能力と忍耐を要求するのがマラソン競技の特性だ。よって、マラソンは個人種目であるにも関わらず、他の種目と比べ伝える感動が多い種目でもある。

【물음】　이 글의 내용과 일치하는 것을 하나 고르십시오.　　37

❶ 마라톤은 워낙 긴 경기라서 관전하는 것도 인내가 필요하다.

　　→ マラソンはそもそも長い競技なので、観戦するのも忍耐が必要だ。

② 마라톤은 경기 특성상 개인 종목이 될 수밖에 없다.

　　→ マラソンは競技の特性上、個人種目になるほかない。

③ 마라톤에 필요한 것은 더 많은 감동을 낳기 위한 도전 의식이다.

　　→ マラソンに必要なことは、さらに多くの感動を生むための挑戦意識だ。

解 答

④ 마라톤은 웬만큼 끈질기지 않으면 인간적으로 버틸 재
간이 없다.

→ マラソンはかなり根気強くないと、人間的に耐えるすべがない。

2）

어릴 적 길을 잃은 적이 있다. 다시는 집에 갈 수 없을까 봐
엉엉 울면서 골목길을 헤매고 다녔다. 다행히 어두워지기 전에
집으로 돌아올 수 있었는데 엄마한테 혼이 나면서도 집에 왔다
는 게 얼마나 좋았던지. 방학 때 크고 넓은 친척 집에 가서 놀
다가도 때가 되면 집에 오고 싶었다. 누가 가르쳐 주지 않아
도, 날 따뜻하게 반겨 주고 재워줄 곳은 우리 집뿐이라고 본능
적으로 알았던 것 같다.

[日本語訳]

　小さいころ迷子になったことがある。もう二度と家に帰れない
かと思い、わあわあ泣きながら小道をさまよい歩いた。幸い、暗
くなる前に家に帰ってくることができたが、お母さんに叱られな
がらも家に帰ってきたということがどれほどうれしかったか。学
校の長期休みのときに大きくて広い親戚の家に行って遊んでいて
も、時間になると家に帰ってきたかった。誰かが教えてくれなく
ても、私を温かく迎えて、寝かせてくれるところはうちの家だけ
なんだと本能的に知っていたようだ。

第54回　解答

【물음】 이 글의 내용과 일치하는 것을 하나 고르십시오. 38

① 그 시절에는 누구나 다 길을 잃고 헤맨 경험이 있다.
→ そのころには誰でも迷子になってさまよった経験がある。

② 아무리 엄마한테 혼이 났어도 집에는 꼭 들어갔다.
→ どんなにお母さんに叱られても家には必ず帰った。

③ 방학 때 친척 집에 놀러 갔다가 마음이 편치 않아서 바로 돌아왔다.
→ 学校の長期休みのときに親戚の家に遊びに行ったが、居心地が悪くてすぐ帰ってきた。

❹ 해 지기 전에 집에 돌아왔는데 엄마한테 꾸지람을 들었다.
→ 日が暮れる前に家に帰ってきたのに、お母さんに叱られた。

Point 正答は④。②を選んだ受験者も多かった。本文の3行目の後半に書かれているように、帰りが遅かったことでお母さんに叱られたが無事に家に帰れた安堵感でうれしかったといってはいるが、②のように「どんなに叱られても必ず家に帰った」ことに焦点を当てているわけではないので誤答。

11 다음 글을 읽고 【물음1】~【물음2】에 답하십시오.

　인간은 신이 아닌 이상 잘못이나 실수를 저지르기 마련이다. 만약 실수나 과오를 범하지 않는 사람이 있다면 그는 신이거나 그렇지 않으면 아무 일도 하지 못하는 무능한 사람일 것이다. 실수란 그 무엇을 하려다가 안 된 것을 의미한다. 그러므로 실

解 答

수에는 그 무엇을 이루고자 하는 뜻과 노력이 숨어 있다. 따라서 실수가 없는 삶이란 어떤 의미에서 인생을 용감하게 살기보다 (39) 살려고 하는 것이라 하겠다.

그렇다고 결코 실수를 장려하려는 것은 아니다. 실수를 너무 두려워한 나머지, 자기가 해야 할 일을 다 하지 못하는 삶을 꾸짖고 싶을 따름이다. 이때 가장 중요한 점은 실수나 과오를 통해 남을 비난하고 자기 책임을 회피하기보다는 그것을 통해 많은 것을 배워야 한다는 점이다.

[日本語訳]

人間は神ではない以上、間違いや失敗をしでかすものだ。もしも失敗や過ちを犯さない人がいるとすれば、その人は神であるか、そうでなければなにもすることができない無能な人間だろう。失敗とは、なにかをしようとして、うまくいかなかったことを意味する。よって、失敗にはなにかを成そうという意志と努力が隠れている。したがって、失敗がない人生とは、ある意味で人生を勇敢に生きるというより、(39) 人生を生きようとすることだと言えよう。

だからと言って、決して失敗を奨励しようというのではない。失敗をあまりにも怖れるあまり、自分が成すべきことを成し遂げられない人生を戒めたいだけだ。ここで最も重要な点は、失敗や過ちをとおして他人を非難し、自分の責任を回避するより、それをとおしてたくさんのことを学ばなければならないという点である。

第54回　解答

【물음 1】 (┃39┃)에 들어갈 말로 가장 알맞은 것을 하나 고르십시오. ┃39┃

① 무궁무진하게　→　無尽蔵に

❷ 무미건조하게　→　無味乾燥に

③ 파란만장하게　→　波瀾万丈に

④ 배은망덕하게　→　恩知らずに

【물음 2】 이 글의 내용과 일치하는 것을 하나 고르십시오.

┃40┃

① 신도 인간처럼 실수나 잘못을 저지르는 경우가 있다.

→ 神も人間のように失敗や過ちをしでかす場合がある。

② 실수를 하느니 조용히 숨죽이고 사는 것이 낫다.

→ 失敗をするより静かに息を殺して暮らすほうがいい。

③ 실수나 과오를 범할수록 두려움을 극복할 수 있다.

→ 失敗や過ちを犯すほど怖れを克服することができる。

❹ 실수를 마다하지 않는 삶이 바람직하다.

→ 失敗を拒まない人生が望ましい。

Point 正答は④。③を選んだ受験者も多かったが、本文の4行目の後半から8行目にかけて、「失敗には何かを成そうという意志と努力が隠れている」、「だからと言って、決して失敗を奨励しようというのではない」という内容はあるが、③の「失敗や過ちを犯すほど怖れを克服できる」という内容は本文にないので誤答。

解 答

12 다음 글을 읽고【물음 1】~【물음 2】에 답하십시오.

〔북(北)의 문헌에서 인용〕

《어머니, 나 사이다.》

《애, 달리기를 하기 전에 사이다를 마시면 배가 출렁거려서 잘 못 뛴다.》

《일없어요.》

《너 정말 자신있니?》

《걱정말라요. 2학년아이들 중에선 달리기에서 내가 1등인데요 뭐.》

(A) 사이다를 병채로 들고 꿀꺽꿀꺽 마신 천백이는 자신있게 대답하고는 출발선으로 달려갔다. (B)

호각소리와 함께 여덟명의 아이들이 동시에 달리기 시작했다. 천백이는 두번째 아이를 대여섯발자국이나 떨구고 달려가 제일먼저 표를 집어들었다. (C) 뽑아든 표만 뚫어지게 들여다보며 까딱 움직이지 않았다. (D)

(아니, 저 애가 왜 저럴가??)

조급해진 어머니가 아들을 향해 소리쳤다.

《천백아, 뭘하니, 빨리 뛰지 않구.》

그러나 어머니의 그 목소리는 운동장이 떠나갈듯 한 응원소리가 홀딱 삼켜버렸다.

[日本語訳]

「お母さん、ぼくサイダー。」

「かけっこする前にサイダーを飲んだらお腹がだぶだぶになってちゃんと走れないよ。」

「大丈夫だよ。」

「あんた本当に自信あるの？」

「心配しないで。2年生の子たちの中では、かけっこでぼくが1番なんだから。」

（A）サイダーを瓶のまま持ってゴクゴクと飲んだチョンベクは自信を持って答えると、スタートラインに走っていった。（B）

ホイッスルの音とともに8人の子供が同時に走り出した。チョンベクは2番目の子を5、6歩分も突き放して走り、一番先に旗をつかみ取った。（C）抜き取った旗をじっと見つめ、ぴくりともしなかった。（D）

（え、あの子どうしたのかしら？）

焦ったお母さんが息子に向かって叫んだ。

「チョンベク、なにしてるの、はやく走らないと。」

しかし、お母さんのその声は、グラウンドが割れんばかりの声援ですっかり飲み込まれてしまった。

解　答

【물음1】　다음 문장이 들어갈 위치로 알맞은 것을 하나 고르
　　　　　십시오.　　　　　　　　　　　　　　　　　41

> 그런데 웬일인지 그는 못박힌듯 그 자리에 서있었다.

　→　ところがどうしたことか、彼は釘を打たれたかのように、その場
　　に立っていた。

①（A）　　　②（B）　　　❸（C）　　　④（D）

【물음2】　이 글의 내용과 일치하는 것을 하나 고르십시오.
　　　　　　　　　　　　　　　　　　　　　　　42

①　천백이는 2등과 간발의 차이로 1등이었다.
　　→　チョンベクは2位とわずかな差で1位だった。

②　천백이는 표를 뽑았지만 순서가 뒤로 밀렸다.
　　→　チョンベクは旗をつかんだが、順序が後に下がった。

❸　천백이는 1등을 할 수 있다고 자신만만해 했다.
　　→　チョンベクは1位になれるといって自信満々だった。

④　천백이는 사이다를 마실 일이 없어졌다.
　　→　チョンベクはサイダーを飲むことがなくなった。

第54回　解答

13 밑줄 친 부분을 문맥에 맞게 정확히 번역한 것을 하나 고르십시오.

1) 괜히 말 잘못 걸었다가 뼈도 못 추릴 뻔 했어요.　　43

→ 下手に声をかけていたら散々な目に合うところでした。

① ひどい目に合うだけです。
② 骨折り損に終わりました。
③ だまされるところでした。
❹ 散々な目に合うところでした。

2) 무슨 속셈인지 슬쩍 떠보는 게 좋을 성싶네요.　　44

→ どんな下心があるのか、それとなく探ってみるのが良さそうですね。

① こっそりのぞいてみるのが良いかも知れません。
❷ それとなく探ってみるのが良さそうですね。
③ すばやく中身を確かめた方が良さそうですね。
④ そっとすくいあげてみるのはどうでしょう。

3) 오늘 따라 꼭두새벽부터 부산을 떨고 있다.　　45

→ 今日に限って朝っぱらからせわしなく騒がしい。

① ほこりを叩いている。
② 負傷を負って震えている。

解 答

❸ せわしなく騒がしい。

④ 釜山が騒然として慌しい。

4) 그 친구는 원래 까칠한 성격이니까 그러려니 해야지. 46

→ あの人は元々気難しい性格だから、そういうものだと思うしかない。

❶ 気難しい性格だから、そういうものだと思うしかない。

② けちだからそういうことになるのだろう。

③ 気性が荒いから仕方がないと思うしかない。

④ 勝気な性格だから、そうするしかないだろう。

14 밑줄 친 부분을 문맥에 맞게 정확히 번역한 것을 하나 고르십시오.

1) 今回は大事に至らず事無きを得た。 47

→ 이번에는 일이 크게 번지지 않고 무사히 마무리됐다.

① 큰일이 닥치더라도 아무 탈 없기를 빈다.

❷ 일이 크게 번지지 않고 무사히 마무리됐다.

③ 긴급한 상황이 아니라서 어쩔 도리가 없었다.

④ 대사를 치렀음에도 아무 것도 얻지 못했다.

第54回　解答

2）軽い気持ちで言っただけなのに<u>真に受けて</u>どうするの？

→ 가벼운 마음으로 말한 것 뿐인데 <u>진지하게 받아들이면</u> 어떡해?

48

① 정면으로 받아들이면

② 진실이라고 밝혀서

③ 진심으로 이어받아서

❹ 진지하게 받아들이면

3）皆黙っているから<u>余計な口は挟まない</u>ほうがいいと思う。

→ 다들 가만히 있으니까 <u>쓸데없이 참견하지 않는 게</u> 좋을 듯 싶다.

49

❶ 쓸데없이 참견하지 않는 게

② 지나치게 떠들지 않는 게

③ 귀찮은 자리에는 끼지 않는 게

④ 불필요한 입담은 삼가는 게

Point もっとも自然な訳は①。「口を挟む」の訳は、참견하다、말참견하다などと言う。④を選んだ受験者も多かったが、입담は「話しぶり」、「話し方」などの意味を表すので誤答。

解　答

4）相手のために労を惜しまない姿に心を打たれた。　　50

→ 상대를 위해 수고를 아끼지 않는 모습이 마음에 와닿았다.

① 노력하는 것이 안타까워서 마음이 아렸다.
② 노고를 아쉬워하는 모습이 마음에 걸렸다.
❸ 수고를 아끼지 않는 모습이 마음에 와닿았다.
④ 공로를 못 세워 섭섭해하는 꼴이 신경 쓰였다.

2級聞きとり 正答と配点

●40点満点

問題	設問	マークシート番号	正　答	配　点
1	1)	1	③	2
	2)	2	①	2
	3)	3	④	2
2	1)	4	①	2
	2)	5	②	2
	3)	6	①	2
3	1)	7	③	2
	2)	8	④	2
	3)	9	②	2
4	1)	10	③	2
	2)	11	①	2
	3)	12	③	2
5	【물음1】	13	④	2
	【물음2】	14	②	2
6	【물음1】	15	①	2
	【물음2】	16	②	2
7	1)	17	③	2
	2)	18	①	2
	3)	19	④	2
	4)	20	③	2
合計	20			40

２級筆記　正答と配点

●60点満点

問題	設問	マークシート番号	正答	配点
1	1)	1	②	1
	2)	2	④	1
	3)	3	②	1
	4)	4	①	1
	5)	5	③	1
	6)	6	②	1
	7)	7	①	1
	8)	8	④	1
	9)	9	②	1
	10)	10	③	1
2	1)	11	③	1
	2)	12	②	1
	3)	13	①	1
	4)	14	①	1
3	1)	15	③	1
	2)	16	②	1
	3)	17	④	1
	4)	18	③	1
4	1)	19	①	1
	2)	20	②	1
	3)	21	④	1
	4)	22	③	1
5	1)	23	④	1
	2)	24	④	1
	3)	25	③	1
6	1)	26	①	1
	2)	27	②	1

問題	設問	マークシート番号	正答	配点
7	1)	28	④	2
	2)	29	②	2
8	1)	30	①	1
	2)	31	②	1
	3)	32	①	1
9	1)	33	④	1
	2)	34	③	1
	3)	35	②	1
	4)	36	③	1
10	1)【물음】	37	①	1
	2)【물음】	38	④	1
11	【물음1】	39	②	2
	【물음2】	40	④	2
12	【물음1】	41	③	2
	【물음2】	42	③	2
13	1)	43	④	1
	2)	44	②	1
	3)	46	③	1
	4)	46	①	1
14	1)	47	②	2
	2)	48	④	2
	3)	49	①	2
	4)	50	③	2
合計	50			60

２級　第54回　正答と配点

1級

◎1級(超上級)のレベルの目安と合格ライン

■レベルの目安
幅広い場面で用いられる韓国・朝鮮語を十分に理解し、それらを自由自在に用いて表現できる。

・相手のみならず、場面や状況までを考慮した上で的確に意図の実現ができ、報告書やエッセイなどほとんどのジャンルを考慮したスタイルの選択も可能である。
・職業上の業務遂行に関連する話題などについても取り扱うことができる。
・幅広い話題について書かれた新聞の論説・評論などの理論的にやや複雑な文章や抽象度の高い文章、様々な話題の内容に深みのある文章などを読んで文章の内容や構成などを理解できる。
・要約や推論、論証や議論など、情報処理的にも高度なレベルが要求される処理を韓国・朝鮮語を用いて行うことができる。
・類推の力を働かせて、知らない単語の意味を大体把握できる上、南北の言葉の違いや頻度の高い方言なども理解することができる。連語や四字熟語、ことわざについても豊富な知識と運用力を持ち合わせており、豊かな表現が可能である。
　　※設問は韓国・朝鮮語

■合格ライン
●1次試験は100点満点(聞取・書取40点中必須16点以上、筆記60点中必須30点以上)中、70点以上合格。
●1次試験合格者は2次面接試験に進む。

◎記号について
　[　]：発音の表記であることを示す。
　〈　〉：漢字語の漢字表記(日本漢字に依る)であることを示す。
　(　)：当該部分が省略可能であるか、前後に(　)内のような単語などが続くことを示す。
　【　】：品詞情報など、何らかの補足説明が必要であると判断された箇所に用いる。
　「　」：**Point** 中の日本語訳であることを示す。
　★：大韓民国と朝鮮民主主義人民共和国とでの、正書法における表記の違いを示す(南★北)。

◎「、」と「；」の使い分けについて
　1つの単語の意味が多岐にわたる場合、関連の深い意味同士を「、」で区切り、それとは異なる別の意味で捉えた方が分かりやすいものは「；」で区切って示した。また、同音異義語の訳についても、「；」で区切っている。

◎／ならびに {／} について
　／は言い替え可能であることを示す。用言語尾の意味を考える上で、動詞や形容詞など品詞ごとに日本語訳が変わる場合は、例えば、「～ |する／である| が」のように示している。これは、「～するが」、「～であるが」という意味である。

1級

聞・書 20問/30分
筆 記 50問/80分

2020年 第54回
「ハングル」能力検定試験

【試験前の注意事項】
1) 監督の指示があるまで、問題冊子を開いてはいけません。
2) 聞きとり試験中に筆記試験の問題部分を見ることは不正行為となるので、充分ご注意ください。
3) この問題冊子は試験終了後に持ち帰ってください。
　 マークシートを教室外に持ち出した場合、試験は無効となります。
※ CD3 などの番号はCDのトラックナンバーです。

【マークシート記入時の注意事項】
1) マークシートへの記入は「記入例」を参照し、ＨＢ以上の黒鉛筆またはシャープペンシルではっ
　 きりとマークしてください。ボールペンやサインペンは使用できません。
　 訂正する場合、消しゴムで丁寧に消してください。
2) 解答は、オモテ面のマークシートの記入欄とウラ面の記述式解答欄に記入してください。
　 記述式解答をハングルで書く場合は、南北いずれかのつづりに統一されていれば良いものとし
　 ます。二重解答は減点される場合があります。
3) 氏名、受験地、受験地コード、受験番号、生まれ月日は、オモテ・ウラもれのないよう正しく
　 マークし、記入してください。
4) マークシートにメモをしてはいけません。メモをする場合は、この問題冊子にしてください。
5) マークシートを汚したり、折り曲げたりしないでください。

※試験の解答速報は、試験終了後、協会公式ＨＰにて公開します。
※試験結果や採点について、お電話でのお問い合わせにはお答えできません。
※この問題冊子の無断複写・ネット上への転載を禁じます。

ハングル能力検定協会
한글능력검정협회

「ハングル」能力検定試験

個人情報欄 ※必ずご記入ください

受　験　級
1 級 ⋯ ●

受験地コード

受験番号

生まれ月日
月　日

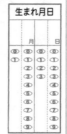

氏名
受験地

（記入心得）
1. HB以上の黒鉛筆またはシャープペンシルを使用してください。
　（ボールペン・マジックは使用不可）
2. 訂正するときは、消しゴムで完全に消してください。
3. 枠からはみ出さないように、ていねいに塗りつぶしてください。

（記入例）解答が「1」の場合
良い例　●
悪い例　レ点　線　バッテン　点　うすい

聞きとり

1	① ② ③ ④
2	① ② ③ ④
3	① ② ③ ④
4	① ② ③ ④

5	① ② ③ ④
6	① ② ③ ④
7	① ② ③ ④
8	① ② ③ ④

9	① ② ③ ④
10	① ② ③ ④
11	① ② ③ ④
12	① ② ③ ④

※記述式解答は裏面に記入してください。

筆　記

1	① ② ③ ④
2	① ② ③ ④
3	① ② ③ ④
4	① ② ③ ④
5	① ② ③ ④
6	① ② ③ ④
7	① ② ③ ④
8	① ② ③ ④
9	① ② ③ ④
10	① ② ③ ④
11	① ② ③ ④
12	① ② ③ ④
13	① ② ③ ④
14	① ② ③ ④

15	① ② ③ ④
16	① ② ③ ④
17	① ② ③ ④
18	① ② ③ ④
19	① ② ③ ④
20	① ② ③ ④
21	① ② ③ ④
22	① ② ③ ④
23	① ② ③ ④
24	① ② ③ ④
25	① ② ③ ④
26	① ② ③ ④
27	① ② ③ ④
28	① ② ③ ④

29	① ② ③ ④
30	① ② ③ ④
31	① ② ③ ④
32	① ② ③ ④
33	① ② ③ ④
34	① ② ③ ④
35	① ② ③ ④
36	① ② ③ ④
37	① ② ③ ④
38	① ② ③ ④
39	① ② ③ ④
40	① ② ③ ④
41	① ② ③ ④
42	① ② ③ ④

※記述式解答は裏面に記入してください。

K1332T-116pt

ハングル能力検定協会

マークシート

聞きとり・書きとり記述式解答欄 ※印は協会使用欄

7　得点　※

1)	①	
	②	
2)	①	※
	②	
3)	①	※
	②	
4)	①	※
	②	

8　得点　※

1)	①	
	②	
2)	①	※
	②	
3)	①	※
	②	
4)	①	※
	②	

筆記記述式解答欄 ※印は協会使用欄

13　得点

1)	※
2)	※
3)	※
4)	※

14　得点

1)	※
2)	※
3)	※
4)	※

ハングル能力検定協会

第54回 問題

듣기와 받아쓰기 문제

CD35

1 들으신 문장의 내용과 일치하는 것을 하나 고르십시오.
(마크시트의 1번~2번을 사용할 것) 〈2点×2問〉

CD36

1) _____ 1

    ① _____

    ② _____

    ③ _____

    ④ _____

CD37

2) _____ 2

    ① _____

    ② _____

    ③ _____

    ④ _____

問　題

CD38

2 대화를 듣고 다음에 이어질 내용으로 가장 알맞은 것을
하나 고르십시오.
(마크시트의　3 번～ 4 번을 사용할 것)　　　〈2点×2問〉

CD39

1) 여 : _____
　　　　_____

　　남 : _____
　　　　_____

　　여 : _____
　　　　_____

　　남 : (　　　　　**3**　　　　　)

① _____
② _____
③ _____
④ _____

問 題

CD40

2) 남 : _____

_____

여 : _____

_____

남 : _____

_____

여 : (　　　　4　　　　)

① _____

② _____

③ _____

④ _____

問　題

CD41

3 대화문을 듣고 물음에 답하십시오.
（마크시트의 5번～6번을 사용할 것）　　　〈2点×2問〉

CD42

1）여자의 주장으로 맞는 것을 하나 고르십시오.　　 5

남 : --

여 : --

남 : --

여 : --
----

①---
②---
③---
④---

問　題

CD44

2) 남자의 주장으로 맞는 것을 하나 고르십시오.　　　6

여 : _____

남 : _____

여 : _____

남 : _____

여 : _____

_____

남 : _____

_____

① _____

② _____

③ _____

④ _____

問　題

CD46

4 문장을 듣고 물음에 답하십시오.
（마크시트의 7번~8번을 사용할 것）　　〈2点×2問〉

CD47

1）문장의 내용으로 가장 알맞은 것을 하나 고르십시오. ☐7

①
②
③
④

CD49

2) 문장의 내용과 일치하는 것을 하나 고르십시오.   8

①
②
③
④

問　題

대화문을 들으신 다음에 【물음1】~【물음2】에 답하십시오.

（마크시트의　9번~10번을 사용할 것）　　　〈2点×2問〉

CD52

남 : _____
_____

여 : _____
남 : _____
_____

여 : _____
_____
_____

남 : _____
_____
_____

여 : _____
_____

【물음1】 대화를 통해 알 수 있는 것을 하나 고르십시오. ☐9

① 실제로 가계에 도움이 될 만한 서비스를 제안받았다.
② ＴＶ를 구입하지 않으면 이번 서비스를 받을 수 없다.
③ 앞으로 요금은 비싸지지만 더 많은 상품을 이용할 수 있다.
④ 평소에 갖고 싶던 사은품이라 기뻐하고 있다.

【물음2】 대화의 내용과 일치하는 것을 하나 고르십시오. ☐10

① 집의 ＴＶ가 고장 나 전혀 볼 수 없는 상황이다.
② 인터넷 속도는 느리지만 더 저렴한 상품을 권유하고 있다.
③ 일정 기간 상품을 사용하는 조건으로 혜택을 받을 수 있다.
④ 여자는 가족의 반대를 무릅쓰고 계약을 진행할 예정이다.

CD53

6 문장을 들으신 다음에【물음1】~【물음2】에 답하십시오.
(마크시트의 11번~12번을 사용할 것)　　　　〈2点×2問〉

CD54

【물음1】 이 글의 제목으로 가장 알맞은 것을 하나 고르십시오. ☐11☐

① 사다리 모형과 나무 모형의 공통점 및 차이점
② 다윈이 제시한 진화론의 특징 및 의의
③ 진화론의 탄생 배경과 그 전개 과정
④ 진화론별 종의 분류의 단계와 방법

【물음2】 문장의 내용과 **일치하지 않는 것**을 하나 고르십시오. ☐12☐

① 다윈의 생명의 진화 개념은 나무의 가지가 분화하는 것에 빗댈 수 있다.
② 현재 우리가 보는 생물의 종들은 종의 분화 과정에서 살아남은 것이다.
③ 다윈의 진화론에 따르면 인간과 원숭이는 서로 다른 종으로 갈라졌다.
④ 다윈의 진화론은 이전의 진화 모형을 보완하고 발전시킨 것이다.

問　題

CD55

7 문장의 일부를 문맥에 맞게 일본어로 번역하십시오. 답은 한 가지만을 쓰십시오. 한자 대신 히라가나로 써도 됩니다
（마크시트 뒷면의 기술식 해답란을 사용할 것）

〈2点×4問〉

CD56

1）（　**日本語訳①**　）빨리 얘기해.（　**日本語訳②**　）

CD57

2）（　**日本語訳①**　）친구를 보며（　**日本語訳②**　）겨우 참았다.

CD58

3）그 문제에 대해（　**日本語訳①**　）그녀를 보니
（　**日本語訳②**　）

CD59

4）오늘도 될 대로 되라며（　**日本語訳①**　）그의 모습은
（　**日本語訳②**　）

CD60

8 문장의 일부를 한글로 받아쓰십시오.
(마크시트 뒷면의 기술식 해답란을 사용할 것) 〈2点×4問〉

CD61

1) (**받아쓰기①**) 되자 아무 일 없다는 듯 해는 또
(**받아쓰기②**) 서쪽으로 저물어 갔다.

CD62

2) 동창회만 되면 (**받아쓰기①**) 술에 취해 아무 데서나
(**받아쓰기②**) 친구의 모습이 안쓰럽게 느껴진다.

CD63

3) (**받아쓰기①**) 심한 조카에게 오히려 (**받아쓰기②**)
대하기도 했어요.

CD64

4) 오늘 경기에 진 상대편 선수들까지 축하의
(**받아쓰기①**) 가세하자 관중들의 눈이
(**받아쓰기②**).

필기 문제

1 ( ) 안에 들어갈 말로 가장 알맞은 것을 하나 고르십시오.

(마크시트의 1번~10번을 사용할 것)　〈1点×10問〉

1) 조 화백은 벽촌의 폐교를 매입해 향토미술관을 건립할 계획이어서 많은 예술인들의 (1)이 되고 있다.

① 경전　　② 문안　　③ 변혁　　④ 귀감

2) (2)에 눈발이 날리기 시작하더니 밤새 제법 쌓였네요.

① 한달음　② 해거름　③ 제풀　④ 마파람

3) 저 여배우는 광고 여왕의 자리를 (3) 내놓지는 않을 것으로 전망된다.

① 바짝　　② 출렁　　③ 한껏　　④ 쉬이

4) 고령 운전자의 빠른 증가에 대비하여 국가는 장기적이고 근본적인 교통안전 대책을 (___4___) 한다.

① 방지해야　② 설립해야　③ 강구해야　④ 경배해야

5) 김 대리는 요새 어깨에 힘이 쭉 빠져서 왜 그렇게 (___5___) 거야?

① 빌빌거리는　　　　② 설치는
③ 욱신거리는　　　　④ 나대는

6) 이번 올림픽은 (___6___) 경기 진행에 대한 호평이 이어지면서 국가 위상 제고 측면에서 많은 성과를 거뒀다.

① 매끄러운　② 다소곳한　③ 요긴한　　④ 신통한

7) 최 선수는 나이가 많아서 주장이 된 것 같다며 (___7___) 웃음을 지었다.

① 정갈한　　② 방정맞은　③ 멋쩍은　　④ 다채로운

8) 시간이 되자 마을 사람들이 모두 광장으로 (⎡ 8 ⎤) 몰려들기 시작했다.

① 옹기종기　　② 꾸역꾸역　　③ 자박자박　　④ 대롱대롱

9) 전국 각지에 트로트 열풍을 불러일으킨 가수 송 씨는 올 한 해는 몸이 두 개라도 모자란다며 (⎡ 9 ⎤) 떨었다.

① 술수를　　　② 아우성을　　③ 너스레를　　④ 통한을

10) 기업들이 친환경 산업에의 투자 활동을 확대함에 따라, 미래에 어떤 변화를 가져올 지 (⎡ 10 ⎤) 주목된다.

① 귀추가　　　② 비탄이　　　③ 목례가　　　④ 상찬이

2 ( ) 안에 들어갈 말로 가장 알맞은 것을 하나 고르
십시오.

(마크시트의 11번～14번을 사용할 것) 〈1点×4問〉

1) A : 아버님이 전원주택을 참 마음에 들어하시는 거 같아요.
   B : 당신과 내가 (**11**) 알아본 보람이 있어.

   ① 다리품을 팔아   ② 건수를 잡아
   ③ 바람을 잡아   ④ 곁눈을 팔아

2) 노사협의회는 이번 달 말까지는 (**12**) 협상안을 타결
   하기로 못을 박았다.

   ① 한 치 앞을 못 보고   ② 제 살 깎아 먹기로
   ③ 목소리를 깔고   ④ 죽이 되든 밥이 되든

3) 꿈이 미래를 창조하는 원동력이라지만 꿈을 향한 끊임없는
   도전과 실천이 없다면 이는 (**13**)에 그칠 것이다.

   ① 다사다망   ② 남가일몽   ③ 자승지벽   ④ 박이부정

4) (☐14☐) 민수 군은 창의력은 참 뛰어난데 그것을 실천에 옮기려는 노력이 부족한 것 같네요.

① 평안 감사도 저 싫으면 그만이라고
② 비단옷 입고 밤길 가기라고
③ 구슬이 서 말이라도 꿰어야 보배라고
④ 꿩 구워 먹은 자리라고

≪≪≪ 筆記

3 밑줄 친 부분과 바꾸어 쓸 수 있는 것을 하나 고르십시오.

(마크시트의 15번~18번을 사용할 것)　　〈1点×4問〉

1) 과거에 쓰라렸던 기억이 <u>불현듯 떠올랐지만</u> 이내 평정심을 되찾았다.　　**15**

① 귓가에 맴돌았지만　　② 뇌리를 스쳤지만
③ 소란을 부렸지만　　④ 중태에 빠졌지만

2) 여야 의원들은 <u>몹시 화를 내며</u> 선거제 개혁 논의가 산으로 간 데 대한 '네 탓 공방'만을 이어갔다.　　**16**

① 바닥을 치며　　② 핏대를 세우며
③ 허리띠를 조이며　　④ 뼈를 깎으며

3) 4차 산업혁명 시대를 맞아 인공 지능과 자동화 기술 산업은 <u>눈부시게 급격한 성장을 이루었다</u>.　　**17**

① 등하불명이라 할 만하다　　② 낭중지추라 할 만하다
③ 와신상담이라 할 만하다　　④ 괄목상대라 할 만하다

4) 비싼 학비 내고 대학 다니면서 교재는 안 사다니. <u>푼돈 아</u>
　　<u>꼈다 큰 손해 보게 돼</u>.　　　　　　　　　　　　　 18

　① 대들보 썩는 줄 모르고 기왓장 아끼는 격이야
　② 옥을 쪼지 않으면 그릇을 이루지 못하는 거야
　③ 하루 물림이 열흘 가는 거야
　④ 소경 개천 나무라는 격이야

4 ( ) 안에 들어갈 말로 가장 알맞은 것을 하나 고르십시오.

(마크시트의 19번~22번을 사용할 것) 〈1点×4問〉

1) 미세 먼지가 심각한 상황인데도, 외출을 자제하라는 방송만 고장 난 레코드(**19**) 반복되고 있을 뿐이다.

① 에든   ② 만으론   ③ 마냥   ④ 깨나

2) 내 비록 무능할지라도 죄 짓지 않고 지금 이 순간 바로 여기에서 행복하게 (**20**).

① 살련다   ② 살소냐   ③ 살더니라   ④ 살지니라

3) 신규 고용도 창출되지 않고 있는 마당에 소비가 (**21**).

① 늘어나고 볼 일이다   ② 늘어나거니 싶다
③ 늘어날 심산이다   ④ 늘어날 리 만무하다

4） A : 옆집 민우네 엄마가 도서관에서 큰소리로 애를 다그치
더라고요.

B : 민우가 （ **22** ） 그래도 공공장소에서 큰소리를 내
는 건 지나쳤네요.

① 얌전하느니만 못해요.　　② 얌전한 구석은 없어요.

③ 얌전하다마다요.　　　　④ 얌전하다 뿐이에요?

第54回

問題

5 ( ) 안에 들어갈 말로 **알맞지 않은 것**을 하나 고르십시오.

(마크시트의 23번~25번을 사용할 것) 〈1点×3問〉

1) 그는 심지도 곧고 생각도 (**23**), 어디에 내놓아도 축에 빠지는 남자가 아닐 듯싶었다.

① 야무져 　② 옹골차 　③ 야멸차 　④ 다부져

2) 권 대표는 이번에야말로 난파한 해적들의 보물선을 인양할 수 있다고 (**24**).

① 허풍을 떨었다 　　② 바람을 넣었다
③ 호기를 부렸다 　　④ 획을 그었다

3) 부동산 불패 신화가 아직 (**25**), 앞으로도 지속될 것이란 전망엔 의견이 크게 엇갈린다.

① 유효하기 짝이 없어도 　② 유효할지언정
③ 유효할지 몰라도 　　④ 유효하다고 해도

6 밑줄 친 부분의 쓰임이 **틀린 것**을 하나 고르십시오.
(마크시트의 26번~27번을 사용할 것)　〈1点×2問〉

1) 풀다　26

① 봄나물은 활력을 높이고 피로를 <u>푸는</u> 데 효과가 크다.
② 김 교수의 정중한 사과에 화를 <u>풀기로</u> 했다.
③ 집에 돌아와 반지를 <u>풀고</u> 손을 깨끗하게 씻었다.
④ 최 선생은 어려운 물리학 용어도 알기 쉽게 <u>풀어</u> 설명
한다.

2) 피우다　27

① 자연 생태 체험과 같은 이색 체험은 아이들의 호기심을
<u>피우며</u> 꿈을 키운다.
② 최 의원은 거드름을 <u>피우는</u> 법 한 번 없이 예의 바르게
인사했다.
③ 술에 취해 소란을 <u>피우던</u> 공무원이 출동 나온 경찰을
폭행했다.
④ 강의실에서 냄새 <u>피우지</u> 말고 휴게실에 가서 먹지 그래.

7 밑줄 친 부분의 말과 가장 가까운 뜻으로 쓰인 문장을 하나 고르십시오.
(마크시트의 28번~29번을 사용할 것) 〈2点×2問〉

1) 자네, 너무 인정으로만 흐르면 안 되는 법일세. 28

① 정부의 일처리가 편파적으로 흘러 국민의 불신이 커지고 말았다.
② 대학을 졸업하고 우리가 얼굴을 보지 못한 지 벌써 10년이 흘렀군.
③ 오래된 축음기에서 음악 소리가 흘러 방안 가득히 퍼졌다.
④ 그의 얼굴에는 언제나 열정이 흘러요.

2) 혼수는 부모님께 손 안 벌리는 선에서 준비하려고 한다. 29

① 거래처와 손이 안 맞아서 이번에 바꾸려고요.
② 더 이상 국제금융기관에 손을 내밀 수 없는 사태가 발생했다.
③ 가게 할머니께서 손이 크셔서 반찬이 잔칫집 상 같다.
④ 박 회장 로펌에서 윗선에 손을 써 담당 검사를 바꿨다.

8 다음 문장들 중에서 가장 자연스러운 것을 하나 고르십시오.

(마크시트의 30번~32번을 사용할 것)　　　〈1点×3問〉

1)　　　　　　　　　　　　　　　　　　　　　30

① 형사는 자백을 강요하며 밤새 민혁을 술술 볶았다.
② 남은 돈을 툴툴 털어 봤지만 오천 원밖에 안 됐다.
③ 오빠의 매정한 말에 눈물이 주르륵 돌았다.
④ 기차를 놓쳐 버리고는 발을 동동 굴렀다.

2)　　　　　　　　　　　　　　　　　　　　　31

① 과연 그 사람은 현명하지 못해요.
② 혜미 씨의 목소리는 흡사 천상에서 울리는 노랫소리예요.
③ 선혜도 못 푸는 문제인데, 하물며 영수가 풀겠다고 덤비다니.
④ 입사 지원 시에는 절대로 자필 이력서를 제출해야 한다.

3)
32

① 이야, 키가 백구십이라고? 모델을 하다가 남겠네.
② 정부가 마련한 예술가 복지 정책은 없느니도 못하다.
③ 새 화장품을 발랐더니 두드러기가 나지 뭐예요.
④ 안전띠를 안 매서 버릇하다 보니 깜빡 잊고 있었어요.

9

（　　　）안에 들어갈 표현으로 가장 알맞은 것을 하나 고르십시오.

（마크시트의 33번～36번을 사용할 것）　　　〈1点×4問〉

1) A : 거봐. 걔는 나랑 생각이 틀리다고 했잖아.

B : 명색이 한국어 가르치는 사람이 틀리다가 뭐니? 다르다를 써야지.

A : 내 주위 사람들은 다 그렇게 쓰는데 뭘. 많이 쓰니까 괜찮은 거 아니야?

B : (　　**33**　　)

A : 뭘 그렇게 유난을 떨고 그래. 앞으론 너하곤 말도 못 하겠다.

B : 난 의미에 맞게 바른 말을 쓰자는 얘기야.

① 아무리 우겨도 틀린 건 틀린 거지.

② 다수의 언중이 사용하는 게 정확한 거지.

③ 그렇게 입에 거품을 물고 말하면 안 되지.

④ 구어에서 안 쓰여도 문어에서는 바르게 써야지.

2) A : 팀장님, 어제 회식 때 정말 죄송했습니다.

   B : 왜요? 무슨 일이 있었나요?

   A : 술김에 그만 팀장님 하시는 일에 이러쿵저러쿵 간섭해
       서…….

   B : (　　34　　)

   A : 그래도 앞으로는 주의하겠습니다.

   B : 이제부터는 허심탄회하게 말할 수 있는 자리를 자주
       마련해야겠어요.

   ① 아무리 술이 취해도 할 수 있는 말이 따로 있지요.

   ② 평소에는 듣지 못하는 얘기라 저에게는 신선했는데요.

   ③ 그 얘기라면 회의 시간에 보고해 주세요.

   ④ 소 잃고 외양간 고친다는 말도 있잖아요.

3） A : 이번 주에 우리 학교에서 축제 하는데 올 수 있어?

B : 기말시험에 과제까지 있어서 좀 바쁘긴 한데, 어떡하지?

A : 네가 좋아하는 가수도 섭외가 됐고 새내기들은 무대 앞 자리에 앉을 수 있대.

B : (　　35　　)

A : 담요하고 방석은 내가 준비할게. 하늘색 티셔츠만 입고 오면 돼.

① 바쁘다고 투덜대기만 해서 미안하긴 한데 할 수 없어.

② 어떻게든 과제를 끝내고 싶은데 좋은 방법이 없을까?

③ 무리해서라도 졸업 논문을 빨리 마무리해야겠다.

④ 가까이에서 볼 수 있다니 열 일 제쳐 두고 가야겠다.

4) A : 어제 방송에 나온 한정식집이 너무 맛있어 보여서 가고 싶은데, 상호가 모자이크 돼서 도통 어딘지 모르겠어요.

B : 다시보기로 해서 잘 보다 보면 상호가 노출되는 장면이 있을 거예요.

A : (　　36　　)

B : 어차피 다 알 수 있는 걸 왜 그리 하는지.

A : 집에 가서 방송 화면을 찬찬히 잘 살펴봐야겠어요.

① 귀에 걸면 귀걸이, 코에 걸면 코걸이네요.
② 눈 가리고 아웅이네요.
③ 잔머리만 굴리다가 꼴 좋네요.
④ 말도 많고 탈도 많네요.

10 다음 글을 읽고 【물음 1】~【물음 2】에 답하십시오.
(마크시트의 37번~38번을 사용할 것)　　　〈1点×2問〉

　사탕, 초콜릿, 시럽 등 가공식품의 첨가당이 건강에 악영향을 미친다는 것은 널리 알려진 사실이다. 식품의약품안전처 조사에 따르면 가공식품으로 인한 당 섭취가 10%를 넘는 사람은 그렇지 않은 경우보다 비만 위험률은 39%, 고혈압 위험률은 66% 높은 것으로 나타났다. 혈당의 과도한 오르내림이 급격한 감정 변화로 이어져 불안과 우울 등의 정서 장애가 올 수도 있다.

　전 세계는 설탕과 전쟁 중이다. (A) 2016년 10월 WHO는 '설탕세' 도입을 공식 권고했고 2018년 4월 청량음료를 대상으로 설탕세 도입을 시작한 영국을 비롯해 핀란드, 프랑스, 멕시코 등 전 세계 30여개 나라가 이미 설탕세를 적용하고 있다. (B)

　반면, 우리 정부는 이에 미온적으로 대응하고 있는 실정이다. (C) 요즘 선풍적인 인기를 끌고 있는 흑당버블티의 경우, 당분 함량이 일일 섭취 권장량을 훌쩍 넘는 등 건강상 주의가 필요한데도 이러한 정보를 잘 모른 채 섭취하는 소비자가 적지 않다. (D)

　식품영양학과 윤 교수는 "영양 성분에 따라 국민들의 제품 선택이 달라질 수 있으니 영양 성분 표시를 통해 정보를 제공하는 게 바람직하다"며 영양 성분 표시 도입과 더불어 영양 성분 정보를 활용할 수 있게 하는 소비자 교육의 중요성 또한 강조했다.

【물음1】 본문에서 다음 문장이 들어갈 위치로 가장 알맞은 것을 하나 고르십시오. [37]

영양 성분 표시 여부를 커피 전문점 업계 자율에 맡기는 것을 일례로 들 수 있다.

① (A)　　　② (B)　　　③ (C)　　　④ (D)

【물음2】 본문의 내용과 일치하는 것을 하나 고르십시오. [38]

① 설탕세 도입을 추진 중인 나라가 전 세계적으로 30여개에 이른다.
② 영양 성분 표시 도입은 소비자 교육이 필수적이다.
③ 우리 정부는 설탕이 건강에 미치는 악영향에 대해 강조하고 있다.
④ 과도한 첨가당의 섭취는 정신 건강을 해칠 수 있다.

11 다음 글을 읽고 【물음 1】〜【물음 2】에 답하십시오.
(마크시트의 39번〜40번을 사용할 것)　　　　〈1点×2問〉

　　최근 '나 혼자 산다'는 개념이 확산되면서 경제·산업 분야에서도 '1코노미(1인과 이코노미의 합성어)' 흐름이 나타나고 있다. (A) 1인 가구의 소비력이 하루가 다르게 커지면서 산업계에서도 이들을 사로잡기 위한 분석과 제품 출시에 박차를 가하고 있다.

　　1인 가구의 특징은 어느 정도 경제력에 여유가 있다는 점이다. 국회 예산정책처의 보고서에 따르면 30대 연령대의 1인 가구 소득 평균은 266만 원으로 30대 다인(多人) 가구 평균인 253만 원보다 높았다. (B)

　　1코노미 소비 성향의 공통점은 '미니멀리즘(단순함과 간결함을 추구하는 문화)'으로 작고 실용적이면서도 핵심적인 기술에 집중한 물품을 선호하는 점이다. 대표적으로는 '1인 가전제품'을 들 수 있는데, 소형 냉장고, 소형 세탁기를 포함해 커피머신, 토스터, 로봇청소기, 다리미 등의 미니 제품의 수요가 높다. (C)

　　1코노미족의 소비 성향은 국적이 없다. 이들은 자신에게 필요하다고 판단되면 높은 배송비와 관세를 물고서라도 온라인 쇼핑몰을 통해 해외 각국에서 이른바 '직구(직접 구매)'를 한다. (D) 최근 디지털의 발달로 해외 쇼핑몰을 어렵지 않게 이용할 수 있게 된 점도 해외 직구의 증가에 한몫한다.

【물음 1】 본문에서 다음 문장이 들어갈 위치로 가장 알맞은
          것을 하나 고르십시오.   39

    그 이유는 1코노미족이 원룸이나 투룸 등 작은 집에 거
주하는 특성에 따른 것으로 꼽힌다.

---

    ① (A)   ② (B)   ③ (C)   ④ (D)

【물음 2】 본문의 내용과 일치하는 것을 하나 고르십시오. 40

    ① 1코노미족은 필요한 물품을 구입하기 위해서 높은 관
       세 등의 부담도 감수한다.
    ② 온라인 쇼핑몰의 발달에 따라 해외 상품의 국내 출시가
       늘고 있다.
    ③ 1인 가구의 소비력이 급격하게 증가함에 따라 여러 사
       회 문제가 대두되고 있다.
    ④ 1코노미족은 실용적이면서도 합리적인 가격대의 제품
       을 선호한다.

12 다음 글을 읽고 【물음 1】~【물음 2】에 답하시오.
(마크시트의 41번~42번을 사용할 것)   〈1点×2問〉

[북(北)의 문헌에서 인용]

저녁시간은 현순의 하루일과에서 제일 즐거운 시간이다. 누
가 들어와봐도 주부인 현순을 칭찬하지 않으면 안되게끔 깨끗
하면서도 잘 꾸려진 아늑한 방들을 하나씩 차지한 남편과 아들
이 책상앞에 마주앉아있는것을 보는것이 그에게는 제일 큰 기
쁨이다.

안해로서, 어머니로서 이런 광경을 바라보면서 저녁을 짓기
란 농사군이 풍작을 예고하는 넓은 들판을 바라보는것처럼 참
으로 마음 흐뭇한것이다. 이럴 때면 그의 입에서는 저절로 노
래가 흘러나온다. 흥겨운 노래소리가 칼도마에서도 장단을 울
리게 한다.

(Ⓐ) 밥가마에서 뽀얀 김이 뿜어나오고 고소한 기름냄새
를 풍기는 단 남비에 닭알을 까서 넣을 때면 현순은 본능적으
로 아들이 공부하는 방을 건네다본다. 닭알부침은 아들이 제일
좋아하는 반찬이다. (Ⓑ) 뿌지직뿌지직 소리를 내며 노랗게,
하얗게 닭알부침이 익어가며 고소한 냄새를 풍기자 그만에야
어린 아들은 더는 못 참겠다는듯 코를 벌름거리며 연필을 쥔채
로 삑 돌아앉는다.

(Ⓒ) 자기를 바라보는 어머니의 눈길과 마주치자 아들은

눈을 반짝거리며 해쭉 웃는다. 이것은 말하자면 아버지보다 자기에 대한 통제를 더 강하게 하는 어머니를 녹여내기 위한 1차공정인셈이다.

【물음1】 본문에서 Ⓐ/Ⓑ/Ⓒ에 들어갈 단어의 순서로 가장 알맞은 것을 하나 고르십시오.　　41

① Ⓐ그찰나　　Ⓑ어느덧　　Ⓒ아니나다를가
② Ⓐ어느덧　　Ⓑ아니나다를가　　Ⓒ그찰나
③ Ⓐ아니나다를가　　Ⓑ그찰나　　Ⓒ어느덧
④ Ⓐ그찰나　　Ⓑ아니나다를가　　Ⓒ어느덧

【물음2】 본문의 내용과 **일치하지 않는 것**을 하나 고르십시오　　42

① 현순은 밥을 짓는 도중 장단을 맞춰가며 노래도 부른다.
② 현순이 저녁밥을 짓는 동안 남편과 아들은 자기 방 책상 앞에 앉아있다.
③ 현순의 집안 청소와 방안을 꾸며 놓은 솜씨는 칭찬할만하다.
④ 현순의 아들은 어머니가 통제하려 드는 것을 못 참을 지경이다.

13 다음 문장을 문맥에 맞게 일본어로 번역하십시오. 한자 대신 히라가나로 써도 됩니다.
(마크시트 뒷면의 기술식 해답란을 사용할 것)

〈2点×4問〉

1) 그는 부모 덕에 데뷔하게 되었다는 세간의 평가에 겸연쩍은 웃음을 지었다.

2) 싼 게 비지떡이라고 좀 비싸더라도 제대로 된 걸 사야 오래 쓰는 법이다.

3) 오매불망하던 사람인데 막상 눈 앞에 있으니 어색하기 그지없었다.

4) 토씨 하나 안 고치고 베껴 쓴 뻔뻔함에 다들 어안이 벙벙해졌다.

14 다음 일본어를 문맥에 맞게 번역하십시오. 답은 한 가지 만을 한글로 쓰십시오.
(마크시트 뒷면의 기술식 해답란을 사용할 것)

〈2点×4問〉

1) 今回の会談が物別れに終わる可能性が高まるや、皆固唾を呑んで状況を見守っていた。

2) 彼の主張は一見もっともらしいが、よく考えてみると詭弁極まりない。

3) 腹立ちまぎれに、ただうさばらしする対象が必要だったのかもしれない。

4) 終電に乗り遅れるかと、私たちは矢のように走っていきました。

解 答　　(＊白ヌキ数字が正答番号)

듣기와 받아쓰기 문제와 해답

　지금부터 1급 듣기와 받아쓰기 시험을 시작하겠습니다. 큰 문제가 모두 8문제입니다. 메모를 하실 경우에는 문제 소책자 메모난에 하십시오. 큰 문제 7번과 8번의 해답은 마크시트 뒷면 기술식 해답란에 쓰십시오. 그럼 시작하겠습니다.

1 문장을 2번 읽겠습니다. 이어서 선택지를 1번 읽겠습니다. 들으신 문장 내용과 일치하는 것을 하나 고르십시오. 다음 문제는 20초 후에 읽겠습니다.

1) 과제 참고 자료를 찾느라 눈에 불을 켜고 도서관 서고를 뒤졌어요.　　　　　　　　　　　　　　　　　　　1

　→ 課題の参考資料を見つけるために、目を皿にして図書館の書庫をあさりました。

　① 도서관 서고가 캄캄해서 자료를 찾는 데 어려움을 겪었다.

　　→ 図書館の書庫が真っ暗で資料を見つけるのに苦労した。

　❷ 자료를 찾기 위해 도서관 서고를 샅샅이 살펴봤다.

　　→ 資料を見つけるために図書館の書庫をくまなく調べた。

　③ 도서관 자료를 많이 읽느라 눈이 아플 지경이다.

　　→ 図書館の資料をたくさん読んだので、目が痛いほどだ。

　④ 자료를 찾느라 밤늦게까지 도서관 서고에 있었다.

　　→ 資料を見つけるために夜遅くまで図書館の書庫にいた。

2) 값이 나가 봐야 얼마나 되겠어요?　　　　　　　2

→ 値が張るといっても、それほどではないでしょう。

① 값은 흥정에 따라 달라질 거예요.

→ 値段は交渉次第で変わると思います。

② 꽤 비쌀 것 같아 걱정이에요.

→ かなり高そうなので心配です。

❸ 그다지 많은 돈은 안 들 거예요.

→ そんなに大したお金はかからないと思います。

④ 가격에 따라 이용 시간이 늘 거예요.

→ 価格によって、利用時間が延びると思います。

Point 正答は③。②は③の反対の意味を表している。얼마나 되겠어요は反語表現で「それほどではないでしょう」という意味を表すが、例えば얼마나 큰 힘이 되겠어요の場合は「大変大きな力になるでしょう」という意味にもなりえるので注意。

2 대화문과 선택지를 1번씩 읽겠습니다. 대화를 듣고 다음에 이어질 내용으로 가장 알맞은 것을 하나 고르십시오. 다음 문제는 20초 후에 읽겠습니다.

1)

여 : 탑승 시간이 30분 남았는데, 슬슬 게이트로 가 볼까요?

남 : 잠깐만요. 지금 방송에 기상 악화로 우리 비행기가 연착돼

解 答

서 탑승이 지연된다고 하네요.

여 : 어떡해요. 도착해서 회의 자료도 정리해야 되고 할 일이

많은데…….

남 : (☐ 3 ☐)

[日本語訳]

女：搭乗時間まであと30分だけど、そろそろゲートに行ってみま
しょうか。

男：ちょっと待ってください。今放送で、気象の悪化でわたした
ちの飛行機の到着が遅れて、搭乗が遅延すると言っています
ね。

女：どうしましょう。着いたら資料も整理しないといけないし、
やることが多いのに…。

男：(☐ 3 ☐)

❶ 제가 알아보고 올 테니 그동안 자료 준비라도 하고 계
세요.

→ 私が調べて来るので、その間に資料の準備でもなさっていてく
ださい。

② 거래처에 곧 도착할 거라고 연락을 취하세요.

→ 取引先に、すぐに到着すると連絡を取ってください。

③ 새로 생긴 라운지는 이용을 안 해 봐서 잘 모르겠네요.

→ 新しくできたラウンジは利用したことがないので、よくわかり
ません。

④ 자료는 최소한 30분 전에 배부해야 탑승에 지장이 없죠.

　→ 資料は最低限30分前に配布しなければ搭乗に支障があるでしょう。

2)

남 : 오늘 주유소에 들러야 하는데 기름값이 하늘 높은 줄 모르고 오르네.

여 : 그러게 말야. 지난주보다 100원이나 올랐다고 하더라고.

남 : 유가 인상 때는 빨리 올리고, 인하 때는 천천히 내리고.

여 : (　4　)

[日本語訳]

男 : 今日ガソリンスタンドに寄らないといけないんだけど、ガソリンの値段が天井知らずに上がってるね。

女 : そうだね。先週より100ウォンも上がったって。

男 : 原油価格引き上げのときは早く上がるし、引き下げのときはゆっくり下がるし。

女 : (　4　)

① 눈치만 보다가 아무 것도 못 하겠다.

　→ 気を遣ってばかりいたら、なにもできないね。

② 사공이 많으면 배가 산으로 가는데 말야.

　→ 船頭多くして船山に登ると言うのにね。

解 答

③ 사소한 일에 신경을 곤두세울 필요는 없어.

　→ 些細なことに神経をとがらせる必要はないよ。

❹ 가만 보면 소비자만 골탕 먹는 것 같아.

　→ どうも消費者ばかりひどい目にあっているみたいだね。

3 대화문을 듣고 물음에 답하십시오.

1) 대화문과 선택지를 1번 읽겠습니다. 여자의 주장으로 맞는 것을 하나 고르십시오. 다음 문제는 30초 후에 읽겠습니다.

　　　　　　　　　　　　　　　　　　　　　5

남 : 오늘따라 너무 피곤하네. 저기 빈자리에 좀 앉아야겠다.

여 : 피곤해도 다른 자리 날 때까지 참아. 저기는 임산부 배려석이잖아.

남 : 어차피 비어 있는 거니까 이따가 비켜 주면 되지 않나?

여 : 사람이 앉아 있으면 양보받는 사람이 오히려 눈치 보게 되잖아.

[日本語訳]

男 : 今日は特にすごく疲れたな。あそこの空席にちょっと座ろうっと。

女 : 疲れてても他の席が空くまで我慢しなよ。あそこは妊婦優先席でしょう。

男：どうせ空いてるんだから、あとでどいてあげればいいんじゃない？

女：人が座ってると、譲ってもらう人がむしろ気を遣うじゃない。

① 힘들수록 다른 사람을 더 배려해야 한다.
　→ 大変なほど他の人にもっと気を遣わなければならない。

② 법을 어기지 않도록 배려석 규정을 지켜야 한다.
　→ 法を犯さないように、優先席の決まりを守らなければならない。

③ 양보와 배려를 통해 사회 갈등을 예방해야 한다.
　→ 譲歩と配慮をとおして社会の葛藤を防がなければならない。

❹ 사람이 없더라도 배려석은 비워 두어야 한다.
　→ 人がいないとしても、優先席は空けておかなければならない。

2) 대화문과 선택지를 1번 읽겠습니다. 남자의 주장으로 맞는 것을 하나 고르십시오. 다음 문제는 30초 후에 읽겠습니다.

6

여 : 아들, 끼니는 잘 챙겨 먹고 있어?

남 : 네, 보내주신 밑반찬은 맛있게 먹었어요.

여 : 같이 사는 친구랑 교대로 요리하는 거지?

남 : 우린 취향이 달라서 거의 사 먹는데요.

여 : 사 먹으면 건강에도 안 좋고, 돈도 많이 들잖아.

남 : 서로 먹고 싶은 것도 먹고 오히려 싸게 먹히더라고요.

解 答

[日本語訳]

女：あなた、ご飯はちゃんと食べてるの？

男：うん、送ってくれたおかずは食べたけどおいしかったよ。

女：一緒に住んでる友達と交代で料理してるんでしょう？

男：ぼくたちは好みが違うから、ほとんど買って食べてるよ。

女：買って食べると健康にもよくないし、お金もかかるじゃない。

男：お互い食べたいものも食べられて、むしろ安くついてるよ。

① 어머니의 손맛을 낼 수 없으면 요리를 안 하는 게 낫다.

→ 母の味が出せないなら、料理をしない方がましだ。

❷ 사 먹는 게 직접 조리하는 것보다 더 경제적이다.

→ 買って食べるのが、自分で調理するより経済的だ。

③ 주방을 친구와 같이 쓰는 것은 불편하다.

→ キッチンを友達と一緒に使うのは不便だ。

④ 밑반찬 준비는 손이 너무 많이 간다.

→ おかずの準備はとても手がかかる。

[4] 문장을 듣고 물음에 답하십시오.

1) 문장과 선택지를 1번 읽겠습니다. 문장의 내용으로 가장 알맞은 것을 하나 고르십시오. 다음 문제는 30초 후에 읽겠습니다.

7

第54回 解答

중국에서 한창 한류의 인기가 높았던 2014년경에는 중국 팬들 사이에서 '오빠'를 중국식으로 표기한 '오우바(歐巴)'라는 말을 쓰는 현상이 나타났다고 한다. 드라마 속의 '오빠'라는 말이 팬들에게 익숙해지면서 잘생기고 멋진 남자를 부를 때 '오빠'라는 말을 쓴 것이다. 그리고 외국 팬들 사이에서는 아이돌 그룹 내에서 가장 나이가 어린 멤버를 '막내'라고 부르는 것을 보고 각자 언어에서 가장 비슷한 발음으로 '막내'라는 말을 그대로 쓴다고 한다. 이렇듯 문화와 함께 말이 그대로 들어가 일종의 신조어가 된 셈이다.

[日本語訳]

中国で韓流が人気絶頂だった2014年頃、中国のファンの間で「オッパ」を中国式に表記した「オウバ(歐巴)」という言葉を使う現象が現れたという。ドラマの中の「オッパ」という言葉にファンが慣れ親しむとともに、かっこよくて素敵な男性を呼ぶとき「オッパ」という言葉を使うようになったのだ。そして、外国のファンの間では、アイドルグループ内で最も若いメンバーを「マンネ」と呼んでいるのを見て、それぞれの言語で最も似た発音で「マンネ」という言葉をそのまま使っているという。このように、文化とともに言葉がそのまま入り、一種の新たな造語になったわけだ。

① 대중문화 수출은 말과 글을 널리 알리는 데도 유용하다.
　→ 大衆文化の輸出は言葉と文字を広く知らせるのにも有用だ。

解 答

❷ 언어는 문화와 함께 움직이며 국경도 뛰어넘는다.

→ 言語は文化とともに動き、国境も越える。

③ 외국 문화의 유입은 자국의 문화를 풍부하게 한다.

→ 外国文化の流入は自国の文化を豊かにする。

④ 새로운 문화가 생겨나면 항상 신조어도 함께 생긴다.

→ 新しい文化が生まれると、いつも新たな造語もともに生まれる。

Point 正答は②。④を選んだ受験者も少なくなかった。問題文は新しい文化と新たな造語の関係について語っている文章ではあるが、新しい文化に新たな造語が必ず随伴するとは述べていないので④は誤答。

2）문장과 선택지를 1번 읽겠습니다. 문장 내용과 일치하는 것을 하나 고르십시오. 다음 문제는 30초 후에 읽겠습니다.

8

나에게 어울리는 색깔을 찾는 개인의 신체 색상 진단법을 알아보겠습니다. 가장 중요한 건 피부색인데요. 피부색에 따라 봄, 여름, 가을, 겨울 크게 4가지 유형으로 나뉩니다. 피부가 노란빛인 분은 상아색, 산호색 등 봄의 색상이 잘 어울리고요. 얼굴에 붉은 기가 있다면 청회색 같은 여름 색이 잘 맞습니다. 피부색이 탁한 노란빛이라면 가을 색을 추천하는데요. 그런 사람에게는 황색과 오렌지색이 찰떡궁합입니다. 얼굴이 아주 하얗거나 까맣다면 파랑이나 남색의 겨울 색이 맞습니다.

[日本語訳]

　自分に似合う色を見つける、個別の身体の色合い診断法を探ってみましょう。最も重要なのは肌の色です。肌の色によって、春、夏、秋、冬の大きく4つのパターンに分かれます。肌がイエローベースの方はアイボリー、コーラルカラーなど、春の色合いがよく似合います。顔に赤みがあるなら青灰色のような夏の色がよく合います。肌の色がくすんだイエローベースなら、秋の色をおすすめします。こういった人には黄色とオレンジ色がばっちりの相性です。顔がとても白かったり黒いのであれば、青や藍色の冬の色が合います。

❶ 피부가 노란빛인 사람에게는 상아색을 추천한다.
　→ 肌がイエローベースの人にはアイボリーをおすすめする。

② 황색과 오렌지색은 서로 딱 어울리는 색상이다.
　→ 黄色とオレンジ色は互いに相性のよい色合いだ。

③ 개인의 신체 색상 진단에서 중요한 건 계절이다.
　→ 個別の身体の色合い診断で重要なのは季節だ。

④ 얼굴이 아주 까만 사람에게는 청회색이 맞다.
　→ 顔がとても黒い人には青灰色が似合う。

Point 問題文で피부가 노란빛인 분은 상아색, 산호색 등 봄의 색상이 잘 어울리고요と言っているので①が正答。いろんな色が登場する問題文で、肌の色によって似合う色をまとめると、노란빛「イエローベース」(봄-상아색, 산호색)、붉은 기「赤み」(여름–청회색)、탁한 노란빛「くすんだイエローベース」(가을–황색, 오렌지색)、하양/까망「白色/黒色」(겨울–파랑, 남색)になる。

解 答

5 대화문을 1번 읽겠습니다. 들으신 다음에 【물음1】~【물음2】에 답하십시오. 다음 문제는 60초 후에 읽겠습니다.

남 : 안녕하십니까, 고객님. 이번에 휴대전화, 인터넷, ＴＶ 결합상품을 안내해 드리고 있습니다만, 시간 괜찮으십니까?

여 : 저희는 문제없이 잘 사용하고 있어서 필요 없을 것 같은데요.

남 : 지금 쓰시는 휴대전화, 인터넷에 ＴＶ를 결합하여 새로 2년 약정을 하시면 납부요금도 할인되고 150개 채널을 추가로 시청하실 수 있습니다.

여 : 사실은 평소에 ＴＶ 시청을 잘 안 해서 애물단지로 바뀐지 오래거든요. 그런데, 인터넷은 처음에 설치했을 때보다 느려진 것 같아서 영상 하나 보기도 힘이 드네요. 마침 약정 기간도 끝나가서 다른 회사로 갈아탈까 고민하던 참이었어요.

남 : 사용하시는 데 불편을 끼쳐 드려 죄송합니다. 이번에 약정하시면 특별히 초고속 인터넷으로 무료 업그레이드해 드리고 최신 무선랜 기기도 무상으로 드리겠습니다. 그리고 ＴＶ요금은 6개월간 서비스로 제공해 드릴테니 꼭 좀 검토해 주십시오.

여 : 그럼, 가족들과 상의해 볼게요. 내일쯤 다시 연락 주세요.

[日本語訳]

男：お客様、こんにちは。今回、携帯電話、インターネット、テ

レビのおまとめプランをご案内しておりますが、お時間大丈夫ですか？

女：うちは問題なく使えているので、必要ないと思いますけど。

男：今お使いの携帯電話、インターネットにテレビを付けて、2年契約されると、支払い料金も割引になり、150個のチャンネルを追加で視聴することができます。

女：実は普段テレビをあまり視聴しないので、無用の長物になって久しいんですよ。でも、インターネットは最初に設置したときより遅くなったみたいなので、映像を一つ見るのも大変なんです。ちょうど契約期間も終わりになるので、他の会社に乗りかえようかと悩んでいたところだったんです。

男：ご使用にご不便をおかけして申し訳ありません。今回ご契約されると特別に超高速インターネットに無料アップグレードし、最新の無線ＬＡＮ機器も無料でさしあげます。そして、テレビ料金は6ヶ月間サービスで提供いたしますので、ぜひとも検討してください。

女：じゃあ、家族と相談してみます。明日あたりまた連絡ください。

【물음1】 대화를 통해 알 수 있는 것을 하나 고르십시오. ☐9

❶ 실제로 가계에 도움이 될 만한 서비스를 제안 받았다.
  → 実際に家計の助けになるようなサービスを提案された。

解 答

② ＴＶ를 구입하지 않으면 이번 서비스를 받을 수 없다.

→ テレビを購入しないと今回のサービスを受けることができない。

③ 앞으로 요금은 비싸지지만 더 많은 상품을 이용할 수 있다.

→ これから料金は高くなるが、さらに多くの商品を利用することができる。

④ 평소에 갖고 싶던 사은품이라 기뻐하고 있다.

→ 普段欲しかった謝恩品なので喜んでいる。

Point 正答は①。男性からの料金の割引をはじめとするテレビチャンネルの追加や無線LAN機器、超高速インターネットの提供などのサービスに関する話は、家計に助けになる提案だと言える。④を選んだ受験者も少なくなかった。対話文だけで電話を受けた女性が喜んでいると判断するのは難しいし、サ은품「謝恩品」でもないので④は誤答。

【물음2】 대화 내용과 일치하는 것을 하나 고르십시오. 　10

① 집의 ＴＶ가 고장나 전혀 볼 수 없는 상황이다.

→ 家のテレビが壊れて全然見ることができない状況だ。

② 인터넷 속도는 느리지만 더 저렴한 상품을 권유하고 있다.

→ インターネットの速度は遅いが、より安い商品を勧めている。

❸ 일정 기간 상품을 사용하는 조건으로 혜택을 받을 수 있다.

→ 一定の期間商品を利用する条件で、特典を受けることができる。

第54回 解答

④ 여자는 가족의 반대를 무릅쓰고 계약을 진행할 예정이다.

→ 女は家族に反対されてでも契約を進めるつもりだ。

Point 男性が電話で今回（2年間の）契約されると超高速インターネットに無料アップグレードし、最新の無線LAN機器も無料でさしあげる。そして、テレビ料金は6ヶ月間サービスで提供すると言っているので正答は③。韓国で携帯電話やインターネットを契約する際、料金が安くなる代わりに「契約」という意味の約定（約定）を結ぶことが一般的である。約定期間（契約期間）内に解約すると違約金（違約金）を払わねばならないため、注意が必要。

6 문장을 1번 읽겠습니다. 들으신 다음에 【물음1】～【물음 2】에 답하십시오. 다음 문제는 60초 후에 읽겠습니다.

　다윈의 가장 큰 업적 중 하나는, 나무의 가지가 분화되는 것처럼 생명이 진화한다는 개념을 제시한 것이다. 1859년에 출간된 '종(種)의 기원'에 따르면, 생명의 역사란 새로운 종이 기존의 종으로부터 가지가 분화되어 온 과정인데, 오늘날 우리가 보는 생물 종들은 이러한 과정을 통해 말라 죽지 않고 살아남은 맨 끝 가지들인 것이다. 이 개념은 이전의 진화론과 비교해 혁명적인 것이었다. 다윈 이전 진화론에서 생물 진화의 모형은 하등 동물이 점차 고등 동물로 진화해 간다는 '사다리 모형'이었다. 사다리 모형은 원숭이도 시간이 흐르면 언젠가 인간이 될 수 있다고 봤다. 하지만 '나무 모형'을 제시한 다윈의 진화론에 있어서 원숭이는 인간이 될 수 없다. 이미 인간과 원숭이

解　答

라는 서로 다른 가지로 갈라져 진화하고 있기 때문이다.

[日本語訳]

　ダーウィンの最も大きな業績のうちの一つは、木の枝が分かれるように生命が進化するという概念を提示したことである。1859年に出版された『種の起源』によると、生命の歴史とは新たな種が既存の種から枝分かれしてきた過程なのだが、今日我々が見ている生物の種たちはこのような過程をとおして枯れ果てずに生き残った先端の枝たちなのだ。この概念はそれ以前の進化論と比べ、革命的なものだった。ダーウィン以前の進化論では生物の進化モデルは下等動物がだんだん高等動物に進化していくという「階梯モデル」だった。階梯モデルは猿も時間が経てばいつかは人間になることができると考えた。しかし、「ツリーモデル」を提示したダーウィンの進化論において猿は人間になることはない。すでに人間と猿という互いに異なる枝に分かれて進化しているためである。

【물음1】　이 글의 제목으로 가장 알맞은 것을 하나 고르십시오.　　11

　① 사다리 모형과 나무 모형의 공통점 및 차이점
　　→ 階梯モデルとツリーモデルの共通点および相違点
　❷ 다윈이 제시한 진화론의 특징 및 의의
　　→ ダーウィンが提示した進化論の特徴および意義

第54回　解答

③ 진화론의 탄생 배경과 그 전개 과정

→ 進化論の誕生の背景とその展開過程

④ 진화론별 종의 분류의 단계와 방법

→ 進化論別の種の分類の段階と方法

Point 正答は②。③を選んだ受験者も少なくなかったが、問題文は進化論の誕生の背景などを説明しているのではなく、以前の進化論とは違うダーウィンの進化論の特徴を述べているので、もっともふさわしい題目は②である。

【물음2】 문장 내용과 일치하지 않는 것을 하나 고르십시오.

12

① 다윈의 생명의 진화 개념은 나무의 가지가 분화하는 것에 빗댈 수 있다.

→ ダーウィンの生命の進化という概念は木が枝分かれすることに例えることができる。

② 현재 우리가 보는 생물의 종들은 종의 분화 과정에서 살아남은 것이다.

→ 現在、我々が見ている生物の種たちは種の分化過程で生き残ったものだ。

③ 다윈의 진화론에 따르면 인간과 원숭이는 서로 다른 종으로 갈라졌다.

→ ダーウィンの進化論によると、人間と猿は互いに異なる種に分かれた。

解 答

❹ 다원의 진화론은 이전의 진화 모형을 보완하고 발전시킨 것이다.

　→ ダーウィンの進化論はそれ以前の進化モデルを補完し、発展させたものだ。

Point　④が本文と一致していないので正答。ダーウィンの「ツリーモデル」は、以前にあった「階梯モデル」を補完、発展したものではなく、ダーウィンがはじめて考案した概念である。そのことは、「階梯モデル」はサルから人間に進化できるが、「ツリーモデル」では不可能であるという記述からもうかがえる。

7　문장의 일부를 문맥에 맞게 일본어로 번역하는 문제입니다. 2번씩 읽겠습니다. 답을 쓰는 시간은 60초씩입니다. 그럼 시작하겠습니다.

1) ①(뜸 들이지 말고) 빨리 얘기해. ②(답답해 죽겠어.)

　→ ①(もったいぶらないで) 早く話して。②(じれったくてしょうがない。)

2) ①(깐죽거리는) 친구를 보며 ②(속이 끓어오르는 것을) 겨우 참았다.

　→ ①(憎まれ口をたたいている) 友だちを見て ②(はらわたが煮えくりかえるのを) なんとか我慢した。

161

第54回　解答

3) 그 문제에 대해 ①(가식없이 시원하게 말하는) 그녀를 보니 ②(십년 묵은 체증이 내려가네요.)

→ あの問題について①(ありのままに率直に答える)彼女を見たら　②(溜飲が下がる思いです。)

4) 오늘도 될 대로 되라며 ①(일을 팽개치는)그의 모습은 ②(철부지와 다름없었다.)

→ 今日もなるようになれと①(仕事をなげやりにする)彼の姿は②(まさに駄々っ子そのものだ。)

8 문장의 일부를 받아쓰는 문제입니다.　2 번씩 읽겠습니다. 답을 쓰는 시간은 30초씩입니다.　그럼 시작하겠습니다.

1) ①(이튿날이) 되자 아무 일 없다는 듯 해는 또 ②(뉘엿뉘엿) 서쪽으로 저물어 갔다.

→ ①(次の日に)なると、何事もなかったかのように日はまた②(だんだんと)西の方に沈んでいった。

2) 동창회만 되면 ①(곤드레만드레) 술에 취해 아무 데서나 ②(곯아떨어지는) 친구의 모습이 안쓰럽게 느껴진다.

→ 同窓会ともなれば①(べろんべろんに)酔っ払って、どこででも②(眠りこけてしまう)友達の姿が情けない。

解　答

3）①(낯가림이) 심한 조카에게 오히려 ②(짓궂게) 대하기도
했어요.

→ ①(人見知りが)ひどい甥っ子に、むしろ②(いじわるく)接したりも
しました。

4）오늘 경기에 진 상대편 선수들까지 축하의 ①(헹가래에)
가세하자 관중들의 눈이 ②(휘둥그레졌다).

→ 今日の試合に負けた相手の選手たちまで祝福の①(胴上げ)に加わる
と、観衆たちは目を②(まるくした)。

第54回

解 答

필기 문제와 해답

1 ( ) 안에 들어갈 말로 가장 알맞은 것을 하나 고르십시오.

1) 조 화백은 벽촌의 폐교를 매입해 향토미술관을 건립할 계획이어서 많은 예술인들의 (**1**)이 되고 있다.

→ チョウ画伯は僻村の廃校を買い取り、郷土美術館を建立する計画で、多くの美術家たちの鑑となっている。

① 경전 → 〈經典〉経典　　　② 문안 → 〈問安〉お見舞い

③ 변혁 → 〈變革〉変革　　**❹** 귀감 → 〈龜鑑〉鑑

Point 正答は④。④の귀감は、본보기/모범などに言い換えられる。②の문안は、目上の人のご機嫌を伺うことで、병문안「お見舞い」や문안(인사)을 드리다の形でよく用いられる。

2) (**2**)에 눈발이 날리기 시작하더니 밤새 제법 쌓였네요.

→ 夕暮れに雪が舞い始めたと思ったら、夜中にけっこう積もりましたね。

① 한달음 → 一走り　　**❷** 해거름 → 夕暮れ

③ 제풀 → ひとりで　　④ 마파람 → 南風

Point 正答は②。誤答の①、④を選んだ受験者も少なくなかった。②の해거름は해と거르다の名詞形の거름との合成語で、저녁나절/석양/저녁などと言い換えられる。ある時間から降り始めた雪が、一

解　答

晩中でけっこう積もったという問題文から、ある時間に当たる選択肢は해거름しかないので②が正答。④の마파람を用いて「素早く、あっという間に」という意味を表すことわざ마파람에 게눈 감추듯（南風にカニが目を隠すように）も覚えておこう。

3）저 여배우는 광고 여왕의 자리를 （　**3**　） 내놓지는 않을 것으로 전망된다.

→ あの女優はCM女王の地位をたやすく明け渡しはしないと予想される。

① 바짝　→ からからに　　② 출렁　→ ざぶんと
③ 한껏　→ できる限り　　❹ 쉬이　→ たやすく

4）고령 운전자의 빠른 증가에 대비하여 국가는 장기적이고 근본적인 교통 안전 대책을 （　**4**　） 한다.

→ 高齢のドライバーの急速な増加に備え、国家は長期的かつ根本的な交通安全対策を講じなければならない。

① 방지해야　→ 防止しなければ
② 설립해야　→ 設立しなければ
❸ 강구해야　→ 講じなければ
④ 경배해야　→ 拝まなければ

Point 正答は③。강구하다は「良い対策と方法を工夫して探したり、良い対策を講じる」の意で、대책/방안을 강구하다という形でよく使われる。

第54回　解答

5) 김 대리는 요새 어깨에 힘이 쭉 빠져서 왜 그렇게

(　5　) 거야?

→ キム代理は最近なんであんなに肩を落として、元気がないんだ？

❶ 빌빌거리는 → 元気がない

② 설치는 → 暴れる

③ 욱신거리는 → ずきずきする

④ 나대는 → 騒ぎ立てる

Point 正答は①。어깨에 힘이 빠지다「肩を落とす」に相応する言葉は빌빌거리다「元気がない」で同義語に빌빌대다がある。対義の意味に当たる「威張る」は어깨에 힘이 들어가다/어깨에 힘을 주다と言う。②の설치다と④의나대다는類義語である。

6) 이번 올림픽은 (　6　) 경기 진행에 대한 호평이 이어

지면서 국가 위상 제고 측면에서 많은 성과를 거뒀다.

→ 今回のオリンピックは円滑な競技進行に対する高評価が相次ぎ、国家の地位向上の面で多くの成果を得た。

❶ 매끄러운 → 滑らかな、抜け目ない

② 다소곳한 → おとなしい

③ 요긴한 → 重要な

④ 신통한 → 不思議な

解 答

7) 최 선수는 나이가 많아서 주장이 된 것 같다며 (⬚7⬚)
웃음을 지었다.

→ チェ選手は年上だから主将になったと思うと述べ、ぎこちない笑み
を浮かべた。

① 정갈한　→ 清潔な　　　② 방정맞은　→ 不吉な
❸ 멋쩍은　→ ぎこちない　④ 다채로운　→ 多彩な

8) 시간이 되자 마을 사람들이 모두 광장으로 (⬚8⬚) 몰
려들기 시작했다.

→ 時間になると村の人たちが皆広場に続々と群がりはじめた。

① 옹기종기　→ 大小さまざまに
❷ 꾸역꾸역　→ 続々と
③ 자박자박　→ さくさくと
④ 대롱대롱　→ ぶらぶらと

Point 正答は②。誤答の①を選んだ受験者が多かった。①の옹기종기は大
きさの不揃いな物が集まっているようすを表す擬態語で모이다と
共によく使われる。この問題文では選択肢の後に몰려들기　시작했
다「群がりはじめた」が続くため、次から次と人々が集まってくるよ
うすを表す②の꾸역꾸역が正答となる。꾸역꾸역は人や物が次から
次へと押し寄せてくるようすを表す擬態語で「続々と、どっと」とい
う意味である。꾸역꾸역はこれ以外にも、一度に多く食べるようす
を表すことから「無理やり、何とか」という意味でも使われる。

9) 전국 각지에 트로트 열풍을 불러일으킨 가수 송 씨는 올 한 해는 몸이 두 개라도 모자란다며 (▢9▢) 떨었다.

→ 全国各地にトロットブームを巻き起こした歌手、ソン氏は、今年1 年は体が二つあっても足りないと、冗談口をたたいた。

① 술수를　　→ 計略を　　② 아우성을　→ わめき声を

❸ 너스레를　→ 冗談を　　④ 통한을　　→ 痛恨を

Point ③が正答。誤答の②を選んだ受験者が多かった。①は「計略をめぐら す」の意を持つ술수를 쓰다/부리다の形で、②は「わめく」の意を持つ 아우성을 치다の形でよく使われる。③の너스레「(無用な)おしゃべ り、(下心のある)冗談」は、너스레를 떨다「冗談口をたたく」の他に 同義語の너스레를 부리다や너스레를 놓다「(人を陥れるために)わ なをしかける」という形でも使われる。

10) 기업들이 친환경 산업에의 투자 활동을 확대함에 따라, 미 래에 어떤 변화를 가져올 지 (▢10▢) 주목된다.

→ 企業がエコ事業への投資活動を拡大するにしたがって、将来どんな 変化をもたらすか成り行きが注目される。

❶ 귀추가　→ 成り行きが　　② 비탄이　→ 悲嘆が

③ 목례가　→ 目礼が　　　　④ 상찬이　→ 賞賛が

Point 連語の問題。①が正答。①の귀추「成り行き」は結果の類義語で、귀추 가 주목되다「成り行きが注目される」/귀추를 지켜보다「成り行き を見守る」のような形でよく使われる。

解 答

2 ( ) 안에 들어갈 말로 가장 알맞은 것을 하나 고르십시오.

1) A : 아버님이 전원주택을 참 마음에 들어하시는 거 같아요.
  B : 당신과 내가 (**11**) 알아본 보람이 있어.
  → A : お父さんが田舎の家を本当に気に入ってらっしゃるみたいです。
    B : おまえと私があちこち歩き回って調べたかいがあるな。

❶ 다리품을 팔아   → あちこち歩き回って
② 건수를 잡아   → 弱みを握り
③ 바람을 잡아   → 遊び歩き
④ 곁눈을 팔아   → よそ見をして

Point 正答は①。①の다리품을 팔다は「あちこち歩き回る/手間をかける」という意味の慣用句。誤答の②を選んだ受験者も少なくなかった。건수를 잡다「弱みを握る」の건수は「件数」から由来した表現で、건수를 올리다「成果を上げる」、건수가 생기다「うまい話がある」、건수를 채우다「ノルマを達成する」のように主に会話で使われる。

2) 노사협의회는 이번 달 말까지는 (**12**) 협상안을 타결하기로 못을 박았다.
  → 労働協議会は今月末までにとにもかくにも協議案をまとめるよう釘を刺した。

① 한 치 앞을 못 보고 → 一寸の先も見えず
② 제 살 깎아 먹기로   → 自分で自分の首を絞め
③ 목소리를 깔고   → どすを利かせて

❹ 죽이 되든 밥이 되든　→　とにもかくにも

3) 꿈이 미래를 창조하는 원동력이라지만 꿈을 향한 끊임없는 도전과 실천이 없다면 이는 (　13　)에 그칠 것이다.

→ 夢は未来を想像する原動力というが、夢に向かった絶え間ない挑戦と実践がなければ、これは儚い夢にとどまるだろう。

① 다사다망　→　〈多事多忙〉多事多忙
❷ 남가일몽　→　〈南柯一夢〉儚いこと
③ 자승지벽　→　〈自勝之癖〉自分が人より勝っていると思う癖
④ 박이부정　→　〈博而不精〉博識だが精密でないこと

4) (　14　) 민수 군은 창의력은 참 뛰어난데 그것을 실천에 옮기려는 노력이 부족한 것 같네요.

→ 玉磨かざれば光なしと言うように、ミンス君は創造力は本当に優れているのに、それを実践に移す努力が足りないようですね。

① 평안감사도 저 싫으면 그만이라고
　→ どんなよい仕事も本人が嫌ならそれまでと言うが
② 비단옷 입고 밤길 가기라고
　→ 闇夜の錦と言うが
❸ 구슬이 서 말이라도 꿰어야 보배라고
　→ 玉磨かざれば光なしと言うが
④ 꿩 구워 먹은 자리라고
　→ 跡形も残さないと言うが

解 答

---

3 밑줄 친 부분과 바꾸어 쓸 수 있는 것을 하나 고르십시오.

1) 과거에 쓰라렸던 기억이 불현듯 떠올랐지만 이내 평정심을
   되찾았다.   **15**
   → 過去につらかった記憶が<u>不意に思い浮かんだが</u>、すぐに平常心を取
   り戻した。

   ① 귓가에 맴돌았지만   → 耳から離れなかったが
   ❷ 뇌리를 스쳤지만   → 脳裏をかすめたが
   ③ 소란을 부렸지만   → 騒ぎを起こしたが
   ④ 중태에 빠졌지만   → 重体になったが

2) 여야 의원들은 몹시 화를 내며 선거제 개혁 논의가 산으로
   간 데 대한 '네 탓 공방'만을 이어갔다.   **16**
   → 与野党の議員たちは<u>大変怒りながら</u>、選挙制改革の議論が脱線した
   ことに対する責任転嫁の応酬のみを続けた。

   ① 바닥을 치며   → 底をつき
   ❷ 핏대를 세우며   → 青筋を立てて
   ③ 허리띠를 조이며 → 固い覚悟をし
   ④ 뼈를 깎으며   → 骨身を削り

3) 4차 산업혁명 시대를 맞아 인공지능과 자동화 기술 산업
은 눈부시게 급격한 성장을 이루었다.　　　　　17

→ 第四次産業時代を迎え、人工知能と自動化技術産業は<u>目覚ましく急
激な成長を遂げた。</u>

① 등하불명이라 할 만하다
→ 〈燈下不明−〉灯台下暗しと言える

② 낭중지추라 할 만하다
→ 〈囊中之錐−〉才能のある人は自然に外に現れると言える

③ 와신상담이라 할 만하다
→ 〈臥薪嘗膽−〉臥薪 嘗胆（がしんしょうたん）と言える

❹ 괄목상대라 할 만하다
→ 〈刮目相對−〉目覚ましい進歩が驚嘆するほどだと言える

4) 비싼 학비 내고 대학 다니면서 교재는 안 사다니. <u>푼돈 아
꼈다 큰 손해 보게 돼.</u>　　　　　18

→ 高い学費を払って大学に通っているのに、教材は買わないなんて。
<u>はした金を出し惜しんでたら大損することになるよ。</u>

❶ 대들보 썩는 줄 모르고 기왓장 아끼는 격이야
→ 将来大損することとは知らず、目先のわずかな費用を惜しむよ
うなものだ

② 옥을 쪼지 않으면 그릇을 이루지 못하는 거야
→ いくら才能があっても、学ばなければ道理を得ることはできな
いんだ

解 答

③ 하루 물림이 열흘 가는 거야

→ 1日延ばすと10日になるんだ

④ 소경 개천 나무라는 격이야

→ 自分の過ちを知らず、他人を責めるようなものだ

4 ( ) 안에 들어갈 말로 가장 알맞은 것을 하나 고르십시오.

1) 미세먼지가 심각한 상황인데도, 외출을 자제하라는 방송만 고장 난 레코드(**19**) 반복되고 있을 뿐이다.

→ PM2.5が深刻な状況なのに、外出を控えろという放送だけが壊れたレコード(**19**)繰り返されるばかりだ。

① 에든 → ～にでも　　② 만으론 → ～だけでは

❸ 마냥 → ～のように　　④ 깨나 → ちょっとばかり

2) 내 비록 무능할지라도 죄 짓지 않고 지금 이 순간 바로 여기에서 행복하게 (**20**).

→ 私はたとえ無能だとしても、罪をつくらずこの瞬間まさにここで幸せに(**20**)。

❶ 살련다 → 生きるつもりだ

② 살소냐 → 生きるつもりだろうか

③ 살더니라 → 生きていたんだよ

第54回 解　答

筆記

④ 살지니라　→　生きるべきである

3） 신규 고용도 창출되지 않고 있는 마당에 소비가 (　21　).
→ 新規雇用が創出されていないのに、消費が(　21　)。

① 늘어나고 볼 일이다　→　伸びてみなければわからない
② 늘어나거니 싶다　　　→　伸びると思う
③ 늘어날 심산이다　　　→　伸びる心づもりだ
❹ 늘어날 리 만무하다　→　伸びるわけがない

4） A : 옆집 민우네 엄마가 도서관에서 큰 소리로 애를 다그
　　　치더라고요.
　　B : 민우가 (　22　) 그래도 공공장소에서 큰 소리를 내
　　　는 건 지나쳤네요.
→ A : お隣のミヌのお母さんが図書館で大声で子供をせき立てていた
　　　んですよ。
　　B : ミヌが(　22　)でも、公共の場で大声を出すのはやりすぎで
　　　すね。

① 얌전하느니만 못해요.
　　→ おとなしいほうがましです。
❷ 얌전한 구석은 없어요.
　　→ おとなしい性格ではありません。
③ 얌전하다마다요.
　　→ もちろんおとなしいです。

174

解　答

④ 얌전하다 뿐이에요?

　→ おとなしいのは言うまでもありません。

Point 慣用表現の問題。正答は②。選択肢の後に그래도「でも、それでも、だけど」が続くため、②얌전한 구석은 없어요がもっとも自然な表現になる。그래도は前の文の内容は認めるけど、しかし、のように後ろの文で補足や説明を付け足すようなときに使う逆接の接続詞である。①の-느니만 못하다は、「～ほうがましだ」という意味の慣用表現。Aの対話文の다그치다は、「せまる・せき立てる」という意味。

5 (　　　　) 안에 들어갈 말로 **알맞지 않은 것**을 하나 고르십시오.

1) 그는 심지도 굳고 생각도 (**23**), 어디에 내놓아도 축에 빠지는 남자가 아닐 듯싶었다.

　→ 彼は意志も固いし考え方も(**23**)、どこに出しても見劣りする男ではないようだった。

① 야무져　→ しっかりしていて

② 옹골차　→ しっかりしていて

❸ 야멸차　→ 薄情で

④ 다부져　→ しっかりしていて

Point 正答は③。③の야멸차다は、「薄情だ」という意味のほか、態度が 차고 야무지다という意味もあるが、ネガティブなニュアンスである「態度が冷たい」の意味合いが含まれているため、この文では不自然である。他にこの文に入る類義語として단단하다/당차다/빈틈없다を用いることができる。

2) 권 대표는 이번에야말로 난파한 해적들의 보물선을 인양할 수 있다고 (　24　).

→ クォン代表は今回こそは難破した海賊の宝船を引き上げることができると(　24　)。

① 허풍을 떨었다　→ ほらを吹いた

② 바람을 넣었다　→ そそのかした

③ 호기를 부렸다　→ 息巻いた

❹ 획을 그었다　　→ 一線を画した

Point 正答は④。①허풍을 떨다、②바람을 넣다、③호기를 부리다はそれぞれ異なる意味を表すが、問題文に入れても違和感なく成立する。④획을 긋다는보물선을 인양함으로써 역사 연구에 한 획을 그었다「宝船を引き上げることで歴史研究に一線を画した」のように使うことは可能である。

3) 부동산 불패 신화가 아직 (　25　), 앞으로도 지속될 것이란 전망엔 의견이 크게 엇갈린다.

→ 不動産不敗神話がまだ(　25　)、これからも持続するという展望に対しては意見が大きく分かれる。

❶ 유효하기 짝이 없어도　→ 有効なこと極まりないとしても

② 유효할지언정　　　　　→ 有効であっても

③ 유효할지 몰라도　　　　→ 有効かもしれないが

④ 유효하다고 해도　　　　→ 有効だといっても

Point 正答は①。①-기 짝이 없다는「この上ない、極まりない、極まる」の意を表し、더할 나위(도) 없다、-기 이를 데 없다に言い換えられ

解答

る。形容詞につく慣用表現で、否定的な意味を持つ状態の程度を表すときに多く使われる。

6 밑줄 친 부분의 쓰임이 <u>틀린 것</u>을 하나 고르십시오.

1) 풀다 ⬜26

① 봄나물은 활력을 높이고 피로를 <u>푸는</u> 데 효과가 크다.
→ 春ナムルは活力を高め、疲労を<u>解消する</u>のに効果が大きい。

② 김 교수의 정중한 사과에 화를 <u>풀기</u>로 했다.
→ キム教授の丁重な謝罪に怒りを<u>収める</u>ことにした。

❸ 집에 돌아와 반지를 <u>풀고</u> 손을 깨끗하게 씻었다.
→ 家に帰ってきて、指輪を<u>外し</u>、手をきれいに洗った。

④ 최 선생은 어려운 물리학 용어도 알기 쉽게 <u>풀어</u> 설명한다.
→ チェ先生は難しい物理学の用語もわかりやすく<u>ひも解いて</u>説明する。

Point 正答は③。풀고(×)→빼고(○)。시계/허리띠/안전벨트(シートベルト)のような名詞には풀다を使うことができる。ちなみに、허리띠를 풀다は「気を緩める」という慣用句としても使われる。

第54回　解答

2）피우다　　　　　　　　　　　　　　27

❶ 자연 생태 체험과 같은 이색 체험은 아이들의 호기심을 피우며 꿈을 키운다.
　→ 自然生態体験のようなユニークな体験は子供たちの好奇心を起こし、夢を育てる。

② 최 의원은 거드름을 피우는 법 한 번 없이 예의 바르게 인사했다.
　→ チェ議員はいばるようなことは一度も無く、礼儀正しく挨拶した。

③ 술에 취해 소란을 피우던 공무원이 출동 나온 경찰을 폭행했다.
　→ 酔って騒いでいた公務員が、出動してきた警官に暴行を加えた。

④ 강의실에서 냄새 피우지 말고 휴게실에 가서 먹지 그래.
　→ 講義室で臭いをさせないで、休憩室に行って食べればいいだろう。

Point 正答は①。①피우며（×）→일으키며（〇）、자극하며（〇）。動詞피우다と共起する담배、바람、웃음꽃、재롱、딴청、고집、어리광などの言葉も覚えよう。

7 밑줄 친 부분의 말과 가장 가까운 뜻으로 쓰인 문장을 하나 고르십시오.

1）자네, 너무 인정으로만 흐르면 안 되는 법일세.　　28
　→ 君、あまり情にばかり流されてはいけないよ。

解 答

❶ 정부의 일처리가 편파적으로 <u>흘러</u> 국민의 불신이 커지
고 말았다.

→ 政府の仕事ぶりが偏って<u>伝わり</u>、国民の不信を大きくしてしま
った。

② 대학을 졸업하고 우리가 얼굴을 보지 못한 지 벌써 10
년이 <u>흘렀군</u>.

→ 大学を卒業して、私たちが顔を合わせないでもう10年<u>も経った
んだなあ</u>。

③ 오래된 축음기에서 음악 소리가 <u>흘러</u> 방안 가득히 퍼졌다.

→ 古い蓄音機から音楽が<u>流れ</u>、部屋のなかいっぱいに広がった。

④ 그의 얼굴에는 언제나 열정이 <u>흘러요</u>.

→ 彼の顔にはいつでも熱意が<u>溢れています</u>。

2) 혼수는 부모님께 <u>손</u> 안 벌리는 선에서 준비하려고 한다.

→ 結婚に必要な家具は両親の<u>世話</u>にならない範囲で準備しようと思う。

29

① 거래처와 <u>손</u>이 안 맞아서 이번에 바꾸려고요.

→ 取引先と<u>息</u>が合わないので、今回替えようと思います。

❷ 더 이상 국제금융기관에 <u>손</u>을 내밀 수 없는 사태가 발
생했다.

→ これ以上国際金融機関に<u>手</u>を差し伸べることができない事態が
発生した。

第54回 解答

③ 가게 할머니께서 <u>손</u>이 크셔서 반찬이 잔칫집 상 같다.

　　→ お店のおばあさんが<u>気前</u>がいいので、おかずがお祝い事のある
　　　家のようだ。

④ 박 회장 로펌에서 윗선에 <u>손</u>을 써 담당 검사를 바꿨다.

　　→ パク会長の法律事務所で上層部に<u>手</u>を回して担当検事を代えた。

Point 正答は②。손을 벌리다と손을 내밀다は、相手に何かを要求すると
いう意味で使われている。「手を引く」の意味を表す손을 빼다/떼다、
「手放す」の意味を表す손을 떼다/놓다なども覚えておこう。①손이
맞다は손발이 맞다ともいえる。

8 다음 문장들 중에서 가장 자연스러운 것을 하나 고르십시오.

1)　　　　　　　　　　　　　　　　　　　　　　　　　| 30 |

① 형사는 자백을 강요하며 밤새 민혁을 <u>술술(×)→들들</u>
　<u>(○)</u> 볶았다.

　　→ 刑事は自白を強要し、夜通しミンヒョクをいびり続けた。

② 남은 돈을 <u>툴툴(×)→탈탈(○)</u> 털어 봤지만 오천 원밖
　에 안 됐다.

　　→ 残ったお金をぱたぱた叩いてみたが、5千円にしかならなかった。

③ 오빠의 매정한 말에 눈물이 <u>주르륵(×)→핑(○)</u> 돌았다.

　　→ 兄の冷たい言葉に、涙がじんとにじんだ。

❹ 기차를 놓쳐 버리고는 발을 동동 굴렀다.

　　→ 列車を逃してしまい、地団駄を踏んだ。

解　答

Point 正答は④。②툴툴は、不満を言うさま、衣服などを勢いよく叩くさまなどを表す副詞で、툴툴거리다「ぶつぶつ言う」、옷을 툴툴 털다「服をぱたぱた叩く」のように使われる。③주르륵は、눈물이 주르륵 떨어졌다/눈물을 주르륵 흘렸다と言うのが自然である。

2）　　　　　　　　　　　　　　　　　　　　31

① 과연(×)→역시(○) 그 사람은 현명하지 못해요.
→ やはりその人は賢明ではありません。

② 혜미 씨의 목소리는 흡사 천상에서 울리는 노랫소리예요(×)→같아요(○).
→ ヘミさんの声はまるで天の上から鳴り響く歌声のようです。

❸ 선혜도 못 푸는 문제인데, 하물며 영수가 풀겠다고 덤비다니.
→ ソンへも解けない問題なのに、ましてやヨンスが解くと言って挑むだなんて。

④ 입사 지원 시에는 절대로(×)→꼭(○) 자필 이력서를 제출해야 한다.
→ 入社志望時には必ず自筆の履歴書を提出しなければならない。

3）　　　　　　　　　　　　　　　　　　　　32

① 이야, 키가 백구십이라고? 모델을 하다가(×)→하고도(○) 남겠네.
→ え、身長が190なの？　モデルをしていてもおかしくないね。

第54回　解答

② 정부가 마련한 예술가 복지 정책은 <u>없느니도(×)→없느니만도(○)</u> 못하다.

→ 政府が講じた芸術家支援政策は、ない方がましだ。

❸ 새 화장품을 발랐더니 두드러기가 나지 뭐예요.

→ 新しい化粧品をぬったら、蕁麻疹が出るじゃないですか。

④ 안전띠를 안 <u>매서(×)→매(○)</u> 버릇하다 보니 깜빡 잊고 있었어요.

→ シートベルトを締めないのに慣れていたら、うっかり忘れていました。

Point 語尾の正しい使い方を問う問題で③が正答。①하다가(×)→하다가도/하고도(○)、②없느니도(×)→없느니만도(○)、④매서(×)→매(○)。

9 (　　　) 안에 들어갈 표현으로 가장 알맞은 것을 하나 고르십시오.

1) A : 거봐. 걔는 나랑 생각이 틀리다고 했잖아.

　　B : 명색이 한국어 가르치는 사람이 틀리다가 뭐니? 다르다를 써야지.

　　A : 내 주위 사람들은 다 그렇게 쓰는데 뭘. 많이 쓰니까 괜찮은 거 아니야?

　　B : (　33　)

　　A : 뭘 그렇게 유난을 떨고 그래. 앞으론 너하곤 말도 못하겠다.

解　答

B：난 의미에 맞게 바른 말을 쓰자는 얘기야.

→ A：ほら、あいつとおれは考え方が違うって言っただろ。

　　B：仮にも韓国語教えてる人が「違う」ってなに？　「異なる」を使わなきゃ。

　　A：おれの周りの人たちはみんなそうやって使うんだから。たくさん使われているんだから、いいんじゃないの？

　　B：(　33　)

　　A：なにをそんな大袈裟に。これからお前とは話もできないな。

　　B：私は正しい意味でちゃんと言葉を使おうって言ってるの。

❶ 아무리 우겨도 틀린 건 틀린 거지.

　→ いくらそう言い張っても、間違ってるものは間違ってるでしょ。

② 다수의 언중이 사용하는 게 정확한 거지.

　→ 多数の人が使っているのが正確でしょう。

③ 그렇게 입에 거품을 물고 말하면 안 되지.

　→ そんな風に興奮して騒いだらダメでしょう。

④ 구어에서 안 쓰여도 문어에서는 바르게 써야지.

　→ 口語では使われなくても、文語では正しく使わないと。

2）A：팀장님, 어제 회식 때 정말 죄송했습니다.

　　B：왜요? 무슨 일이 있었나요?

　　A：술김에 그만 팀장님 하시는 일에 이러쿵저러쿵 간섭해서…….

　　B：(　34　)

　　A：그래도 앞으로는 주의하겠습니다.

　　B：이제부터는 허심탄회하게 말할 수 있는 자리를 자주

　　　　마련해야겠어요.
→　A：チーフ、昨日の会食のとき本当にすみませんでした。
　　B：どうしてですか？　なにかありましたっけ？
　　A：お酒の勢いでチーフの仕事にあれこれ口出しして…。
　　B：（　| 34 |　）
　　A：でも、これからは気を付けます。
　　B：これからは虚心坦懐に話せる場をしょっちゅう設けないといけ
　　　　ないですね。

① 아무리 술이 취해도 할 수 있는 말이 따로 있지요.
　　→ いくらお酒に酔っていても、言っていいこととと悪いことがあ
　　　　るでしょう。

❷ 평소에는 듣지 못하는 얘기라 저에게는 신선했는데요.
　　→ 普段は聞けない話だったから、私にとって新鮮でしたけど。

③ 그 얘기라면 회의 시간에 보고해 주세요.
　　→ その話なら、会議のときに報告してください。

④ 소 잃고 외양간 고친다는 말도 있잖아요.
　　→ 盗人を見て縄をなうという言葉もあるじゃないですか。

3）A：이번 주에 우리 학교에서 축제 하는데 올 수 있어?
　　B：기말 시험에 과제까지 있어서 좀 바쁘긴 한데, 어떡하
　　　　지?
　　A：네가 좋아하는 가수도 섭외가 됐고 새내기들은 무대
　　　　앞 자리에 앉을 수 있대.
　　B：（　| 35 |　）
　　A：담요하고 방석은 내가 준비할게. 하늘색 티셔츠만 입

解 答

　　　　고 오면 돼.

→ Ａ：今週うちの学校で学園祭があるんだけど、来られる？

　　Ｂ：期末試験に課題まであってちょっと忙しいんだけど、どうしよう。

　　Ａ：あなたが好きな歌手もゲストになってるし、新入生はステージの前の席に座れるんだって。

　　Ｂ：（　35　）

　　Ａ：ブランケットとクッションはわたしが準備するね。水色のTシャツさえ着て来ればいいから。

① 바쁘다고 투덜대기만 해서 미안하긴 한데 할 수 없어.

　　→ 忙しいってぶつぶつ言ってばかりで悪いけど、できないよ。

② 어떻게든 과제를 끝내고 싶은데 좋은 방법이 없을까?

　　→ どうにかして課題を終わらせたいけど、いい方法ないかな？

③ 무리해서라도 졸업논문을 빨리 마무리해야겠다.

　　→ 無理してでも卒業論文をはやく仕上げないと。

❹ 가까이에서 볼 수 있다니 열 일 제쳐 두고 가야겠다.

　　→ 近くで見られるなんて、他のことは後回しにして行かないと。

4）Ａ：어제 방송에 나온 한정식집이 너무 맛있어 보여서 가고 싶은데, 상호가 모자이크 돼서 도통 어딘지 모르겠어요.

　　Ｂ：다시보기로 해서 잘 보다 보면 상호가 노출되는 장면이 있을 거예요.

　　Ａ：（　36　）

　　Ｂ：어차피 다 알 수 있는 걸 왜 그리 하는지.

A：집에 가서 방송 화면을 찬찬히 잘 살펴봐야겠어요.

→ A：昨日の放送で出た韓定食のお店がとてもおいしそうに見えたから行きたいんだけど、店の名前がモザイクになって全然どこかわからないんです。

B：再放送でよく見てみれば、店の名前が出ている場面があるはずですよ。

A：(　36　)

B：どうせみんなわかることなのに、なんでそんなことするのやら。

A：家に帰って放送の画面をじっくり見てみないといけないですね。

① 귀에 걸면 귀걸이, 코에 걸면 코걸이네요.

　→ ものは言いようですね。

❷ 눈 가리고 아웅이네요.

　→ 耳を掩いて鐘を盗むですね。

③ 잔머리만 굴리다가 꼴 좋네요.

　→ 浅知恵ばかり使っているからですよ、いい気味ですね。

④ 말도 많고 탈도 많네요.

　→ 何だかんだとうるさいですね。

10 다음 글을 읽고 【물음 1】～【물음 2】에 답하십시오.

　사탕, 초콜릿, 시럽 등 가공식품의 첨가당이 건강에 악영향을 미친다는 것은 널리 알려진 사실이다. 식품의약품안전처 조사에 따르면 가공식품으로 인한 당 섭취가 10%를 넘는 사람은 그렇지 않은 경우보다 비만 위험률은 39%, 고혈압 위험률은

解 答

66% 높은 것으로 나타났다. 혈당의 과도한 오르내림이 급격한 감정 변화로 이어져 불안과 우울 등의 정서 장애가 올 수도 있다.

　전 세계는 설탕과 전쟁 중이다. （A） 2016년 10월 ＷＨＯ는 '설탕세' 도입을 공식 권고했고 2018년 4월 청량음료를 대상으로 설탕세 도입을 시작한 영국을 비롯해 핀란드, 프랑스, 멕시코 등 전 세계 30여개 나라가 이미 설탕세를 적용하고 있다. （B）

　반면, 우리 정부는 이에 미온적으로 대응하고 있는 실정이다. （C） 요즘 선풍적인 인기를 끌고 있는 흑당버블티의 경우, 당분 함량이 일일 섭취 권장량을 훌쩍 넘는 등 건강상 주의가 필요한데도 이러한 정보를 잘 모른 채 섭취하는 소비자가 적지 않다. （D）

　식품영양학과 윤 교수는 "영양성분에 따라 국민들의 제품 선택이 달라질 수 있으니 영양성분 표시를 통해 정보를 제공하는 게 바람직하다"며 영양성분 표시 도입과 더불어 영양성분 정보를 활용할 수 있게 하는 소비자 교육의 중요성 또한 강조했다.

[日本語訳]

　キャンディー、チョコレート、シロップ等、加工食品の添加糖が健康に悪影響を及ぼすということは広く知られた事実だ。食品医薬品安全庁の調査によると、加工食品による糖の摂取が10%を超える人はそうでない場合より肥満の危険性は39%、高血圧の危険性は66%高いと判明した。血糖の過度な上がり下がりが急激な感情変化につながり、不安と憂鬱などの情緒障害になることもある。

世界は砂糖と戦争中だ。（Ａ）2016年10月、ＷＨＯは「砂糖税」導入を公式に勧告し、2018年４月、清涼飲料を対象に砂糖税導入を始めたイギリスをはじめ、フィンランド、フランス、メキシコなど、全世界30余カ国がすでに砂糖税を適用している。（Ｂ）

一方、我が国の政府はこれに対し消極的に対応しているのが実情だ。（Ｃ）最近、一大ブームとなっている黒糖タピオカミルクティーの場合、糖分含量が１日の摂取目安をはるかに超えるなど、健康上の注意が必要なのに、このような情報をよく知らないまま摂取している消費者が少なくない。（Ｄ）

食品栄養学科のユン教授は「栄養成分によって国民の製品選択が変わることもあるため、栄養成分の表示をとおして情報を提供するのが望ましい」と述べ、また、栄養成分表示の導入と合わせて、栄養成分の情報を活用することができるようにする消費者教育の重要性を強調した。

【물음1】 본문에서 다음 문장이 들어갈 위치로 가장 알맞은 것을 하나 고르십시오. [37]

영양성분 표시 여부를 커피 전문점 업계 자율에 맡기는 것을 일례로 들 수 있다.

→ 栄養成分表示をするかどうかをコーヒー専門店業界の自己管理にまかせていることを一例として挙げることができる。

① （Ａ）　　② （Ｂ）　　❸ （Ｃ）　　④ （Ｄ）

解　答

【물음 2】　본문의 내용과 일치하는 것을 하나 고르십시오. ┃38┃

① 설탕세 도입을 추진 중인 나라가 전 세계적으로 30여개에 이른다.

　→ 砂糖税導入を推進中の国が全世界的に30余カ国にのぼる。

② 영양성분 표시 도입은 소비자 교육이 필수적이다.

　→ 栄養成分の表示導入は消費者教育が必須だ。

③ 우리 정부는 설탕이 건강에 미치는 악영향에 대해 강조하고 있다.

　→ 我が国の政府は砂糖が健康に及ぼす悪影響について強調している。

❹ 과도한 첨가당의 섭취는 정신 건강을 해칠 수 있다.

　→ 過度な添加糖の摂取は精神の健康を損なうことがある。

Point　正答は④。本文では、全 世界 30여개 나라가 이미 설탕세를 적용하고 있다「全世界30余カ国がすでに砂糖税を適用している」と述べているので、①は誤答になる。また本文でユン教授は栄養成分の表示導入に対する消費者教育の重要性を力説しているだけなので、②も誤答。

┃11┃ 다음 글을 읽고 【물음1】~【물음2】에 답하십시오.

　최근 '나 혼자 산다'는 개념이 확산되면서 경제·산업 분야에서도 '1코노미(1인과 이코노미의 합성어)' 흐름이 나타나고 있다. (A) 1인 가구의 소비력이 하루가 다르게 커지면서 산업계에서도 이들을 사로잡기 위한 분석과 제품 출시에 박차를 가하고 있다.

1인 가구의 특징은 어느 정도 경제력에 여유가 있다는 점이다. 국회 예산정책처의 보고서에 따르면 30대 연령대의 1인 가구 소득 평균은 266만 원으로 30대 다인(多人) 가구 평균인 253만 원보다 높았다. (B)

1코노미 소비 성향의 공통점은 '미니멀리즘(단순함과 간결함을 추구하는 문화)'으로 작고 실용적이면서도 핵심적인 기술에 집중한 물품을 선호하는 점이다. 대표적으로는 '1인 가전제품'을 들 수 있는데, 소형 냉장고, 소형 세탁기를 포함해 커피머신, 토스터, 로봇청소기, 다리미 등의 미니 제품의 수요가 높다. (C)

1코노미족의 소비 성향은 국적이 없다. 이들은 자신에게 필요하다고 판단되면 높은 배송비와 관세를 물고서라도 온라인 쇼핑몰을 통해 해외 각국에서 이른바 '직구(직접 구매)'를 한다. (D) 최근 디지털의 발달로 해외 쇼핑몰을 어렵지 않게 이용할 수 있게 된 점도 해외 직구의 증가에 한몫한다.

[日本語訳]

最近、「私一人で生きる」という考えが広がるとともに、経済・産業の分野でも「1コノミー（1人とエコノミーの合成語）」という流れが出てきている。(A) 単独世帯の消費力が日増しに大きくなり、産業界においても、これらの人たちを掴むための分析と製品発売に拍車をかけている。

単独世帯の特徴はある程度経済力に余裕があるということであ

解 答

る。国会予算政策庁の報告書によると、30代の年代の単独世帯の所得平均は266万ウォンで、30代の複数人家族の平均である253万ウォンより高かった。(B)

　1コノミーの消費傾向の共通点は「ミニマリズム(単純さと簡潔さを求める文化)」で、小さく実用的でありながらも、コアな機能が集約された製品を好むという点だ。代表的なものとして「お一人様家電製品」を挙げることができるが、小型冷蔵庫、小型洗濯機を含め、コーヒーメーカ–、トースター、ロボット掃除機、アイロン等のミニ製品の需要が高い。(C)

　1コノミー族の消費傾向は国籍がない。彼らは自分に必要だと判断すれば、高い配送料と関税を払ってでもオンラインショッピングサイトをとおして海外各国からいわゆる「直買(直接購買)」をする。(D) 最近、デジタルの発達で海外のショッピングサイトを難なく利用できるようになった点も、海外直買の増加に一役買っている。

【물음1】　본문에서 다음 문장이 들어갈 위치로 가장 알맞은 것을 하나 고르십시오.　39

　그 이유는 1코노미족이 원룸이나 투룸 등 작은 집에 거주하는 특성에 따른 것으로 꼽힌다.

→ その理由は1コノミー族がワンルームや2DK等の小さい家に居住するという特性によるものが挙げられる。

第54回　解答

① （A）　　　② （B）　　　❸ （C）　　　④ （D）

【물음2】　본문의 내용과 일치하는 것을 하나 고르십시오.　40

❶　1코노미족은 필요한 물품을 구입하기 위해서 높은 관
세 등의 부담도 감수한다.

→　1コノミー族は必要な物を購入するため、高い関税などの負担
もいとわない。

②　온라인 쇼핑몰의 발달에 따라 해외 상품의 국내 출시가
늘고 있다.

→　オンラインショッピングサイトの発達によって、海外の商品の
国内出荷が伸びている。

③　1인 가구의 소비력이 급격하게 증가함에 따라 여러 사
회 문제가 대두되고 있다.

→　単独世帯の消費力が急激に増加するにしたがって、いくつもの
社会問題が現れている。

④　1코노미족은 실용적이면서도 합리적인 가격대의 제품
을 선호한다.

→　1コノミー族は実用的でありながらも合理的な価格帯の製品を
好む。

解 答

12 다음 글을 읽고 【물음 1 】~【물음 2 】에 답하시오.

[북(北)의 문헌에서 인용]

저녁시간은 현순의 하루일과에서 제일 즐거운 시간이다. 누가 들어와봐도 주부인 현순을 칭찬하지 않으면 안되게끔 깨끗하면서도 잘 꾸려진 아늑한 방들을 하나씩 차지한 남편과 아들이 책상앞에 마주앉아있는것을 보는것이 그에게는 제일 큰 기쁨이다.

안해로서, 어머니로서 이런 광경을 바라보면서 저녁을 짓기란 농사군이 풍작을 예고하는 넓은 들판을 바라보는것처럼 참으로 마음 흐뭇한것이다. 이럴 때면 그의 입에서는 저절로 노래가 흘러나온다. 흥겨운 노래소리가 칼도마에서도 장단을 울리게 한다.

(Ⓐ) 밥가마에서 뿌얀 김이 뿜어나오고 고소한 기름냄새를 풍기는 단 남비에 닭알을 까서 넣을 때면 현순은 본능적으로 아들이 공부하는 방을 건네다본다. 닭알부침은 아들이 제일 좋아하는 반찬이다. (Ⓑ) 뿌지직뿌지직 소리를 내며 노랗게, 하얗게 닭알부침이 익어가며 고소한 냄새를 풍기자 그만에야 어린 아들은 더는 못 참겠다는듯 코를 벌름거리며 연필을 쥔채로 삑 돌아앉는다.

(Ⓒ) 자기를 바라보는 어머니의 눈길과 마주치자 아들은 눈을 반짝거리며 해쪽 웃는다. 이것은 말하자면 아버지보다 자기에 대한 통제를 더 강하게 하는 어머니를 녹여내기 위한 1

차공정인 셈이다.

[日本語訳]

　夕飯時はヒョンスンの1日の日課のうちで最もうれしい時間だ。誰が入ってきても、主婦であるヒョンスンを褒めずにはいられないくらい、きれいでよく整理された、こぢんまりとした部屋を一つずつ持っている夫と息子が机に向かい座っているのを見るのが、彼女にとって一番の幸せだ。

　妻として、母として、このような光景を見つめながら夕飯を作るのは、農夫が豊作を予告する広い平野を見つめるような、本当に心温まるものだ。そんなときは、彼女の口から自然と歌が流れ出す。陽気な歌声がまな板からもリズムを響かせる。

　（ Ⓐ ）お釜からぼんやりとした湯気が吹き出て、香ばしい油のにおいを漂わせる吊るし鍋に卵を割り入れると、ヒョンスンは本能的に息子が勉強している部屋を眺める。卵焼きは息子が一番好きなおかずだ。（ Ⓑ ）ぱちぱちと音を立て黄色く、白く卵焼きが焼けて、香ばしいにおいを漂わせると、すぐに幼い息子はこれ以上我慢できないといったように鼻をひくひくさせながら、鉛筆を持ったまま向きを変えて座る。

　（ Ⓒ ）自分を見つめる母と目が合うや、息子は目をきらきらさせ、にっこりと笑う。これは言ってみれば、父より自分に対する管理をさらに強くする母を丸め込むための一次工程というわけだ。

解　答

【물음１】　본문에서 Ａ/Ｂ/Ｃ에 들어갈 단어의 순서로 가장 알맞은 것을 하나 고르십시오.　　41

① Ａ그찰나　　　　Ｂ어느덧　　　　Ｃ아니나다를가
　　→ その瞬間　　　→ いつの間にか　　→ 案の定

❷ Ａ어느덧　　　　Ｂ아니나다를가　　Ｃ그찰나
　　→ いつの間にか　→ 案の定　　　　→ その瞬間

③ Ａ아니나다를가　Ｂ그찰나　　　　Ｃ어느덧
　　→ 案の定　　　　→ その瞬間　　　→ いつの間にか

④ Ａ그찰나　　　　Ｂ아니나다를가　　Ｃ어느덧
　　→ その瞬間　　　→ 案の定　　　　→ いつの間にか

【물음２】　본문의 내용과 일치하지 않는 것을 하나 고르십시오.　　42

① 현순은 밥을 짓는 도중 장단을 맞춰가며 노래도 부른다.
　　→ ヒョンスンはご飯を作る途中、リズムを合わせて歌もうたう。

② 현순이 저녁밥을 짓는 동안 남편과 아들은 자기 방 책상 앞에 앉아있다.
　　→ ヒョンスンが夕飯を作る間、夫と息子は自分の部屋の机の前に座っている。

③ 현순의 집안 청소와 방안을 꾸며 놓은 솜씨는 칭찬할 만하다.
　　→ ヒョンスンの家の掃除と部屋を整理した腕前は、賞賛に値する。

❹ 현순의 아들은 어머니가 통제하려 드는 것을 못 참을
지경이다.

　→　ヒョンスンの息子は母が管理しようとするのが我慢ならないほ
　　　どだ。

Point　正答は④。②を選んだ受験者も少なくなかったが、夕飯を作る間、夫
と息子が机に向かい座っているのを見るのが、ヒョンスンにとって
一番の幸せだという内容から②は本文と一致しているといえる。④
の内容は本文では言及されていない。

13 다음 문장을 문맥에 맞게 일본어로 번역하십시오. 한자 대
신 히라가나로 써도 됩니다.

1) 그는 부모 덕에 데뷔하게 되었다는 세간의 평가에 겸연쩍
은 웃음을 지었다.

　→　彼は親の七光りでデビューできたという世間の評価に、照れくさい
　　　笑みを浮かべた。

2) 싼 게 비지떡이라고 좀 비싸더라도 제대로 된 걸 사야 오
래 쓰는 법이다.

　→　安物買いの銭失いというように、やや値が張ってもきちんとした物
　　　のほうが物持ちが良いものだ。

解　答

3) 오매불망하던 사람인데 막상 눈 앞에 있으니 어색하기 그
지없었다.
→ 寝ても覚めても会いたかった人なのに、いざ目の前にすると気恥ず
かしい限りだった。

4) 토씨 하나 안 고치고 베껴 쓴 뻔뻔함에 다들 어안이 벙벙
해졌다.
→ 一言一句直さず丸写しした厚かましさに、みな開いた口が塞がらな
かった。

14 다음 일본어를 문맥에 맞게 번역하십시오. 답은 한 가지만
을 한글로 쓰십시오.

1) 今回の会談が物別れに終わる可能性が高まるや、皆固唾(かたず)を呑(の)
んで状況を見守っていた。
→ 이번 회담이 결렬될 가능성이 높아지자 모두 마른 침을 삼키며
상황을 지켜보고 있었다.

2) 彼の主張は一見もっともらしいが、よく考えてみると詭弁(きべん)極
まりない。
→ 그의 주장은 어찌 보면 그럴싸하지만 잘 생각해 보면 궤변의 극
치이다.

3) 腹立ちまぎれに、ただうさばらしする対象が必要だったのか
もしれない。
→ 홧김에 그냥 화풀이 대상이 필요했는지도 모른다.

4) 終電に乗り遅れるかと、私たちは矢のように走っていきまし
た。
→ 막차를 놓칠까봐 우리들은 쏜살같이 달려갔습니다.

第**54**回　正答と配点

1級聞きとり・書きとり 正答と配点

●40点満点

問題	設問	マークシート番号	正　答	配　点
1	1)	1	②	2
	2)	2	③	2
2	1)	3	①	2
	2)	4	④	2
3	1)	5	④	2
	2)	6	②	2
4	1)	7	②	2
	2)	8	①	2
5	【물음1】	9	①	2
	【물음2】	10	③	2
6	【물음1】	11	②	2
	【물음2】	12	④	2
7	1)①、②	記　述　式		2
	2)①、②			2
	3)①、②			2
	4)①、②			2
8	1)①、②	記　述　式		2
	2)①、②			2
	3)①、②			2
	4)①、②			2
合計	20			40

１級筆記　正答と配点

●60点満点

問題	設問	マークシート番号	正答	配点
1	1)	1	④	1
	2)	2	②	1
	3)	3	④	1
	4)	4	③	1
	5)	5	①	1
	6)	6	①	1
	7)	7	③	1
	8)	8	②	1
	9)	9	③	1
	10)	10	①	1
2	1)	11	①	1
	2)	12	④	1
	3)	13	②	1
	4)	14	③	1
3	1)	15	②	1
	2)	16	②	1
	3)	17	④	1
	4)	18	①	1
4	1)	19	③	1
	2)	20	①	1
	3)	21	④	1
	4)	22	②	1
5	1)	23	③	1
	2)	24	④	1
	3)	25	①	1

問題	設問	マークシート番号	正答	配点
6	1)	26	③	1
	2)	27	①	1
7	1)	28	①	2
	2)	29	②	2
8	1)	30	④	1
	2)	31	③	1
	3)	32	③	1
9	1)	33	①	1
	2)	34	②	1
	3)	35	④	1
	4)	36	②	1
10	【물음1】	37	③	1
	【물음2】	38	④	1
11	【물음1】	39	③	1
	【물음2】	40	①	1
12	【물음1】	41	②	1
	【물음2】	42	④	1
13	1)	記　述　式		2
	2)			2
	3)			2
	4)			2
14	1)	記　述　式		2
	2)			2
	3)			2
	4)			2
合計	50			60

〈1급 2차면접시험 과제문〉

좋은 간식과 선택 방법

낮에는 간식을 먹지 말라고 하는 사람이 있다면 들은 척도 하지 말라! 아무것도 먹지 않고 너무 오래 버티면 뇌 기능이 손상되고 혈당 수치가 지나치게 낮아질 수 있다. 혈당 수치가 떨어지면 충동을 제어하기 어려워지고 쉽게 짜증이 난다. 또한 일부 사람들의 경우 정서적인 스트레스를 일으킬 수도 있다.

낮 동안에는 대략 2. 5 ~ 3시간마다 간식을 먹는 것이 혈당 균형에 도움이 된다. 그렇다고 하루 종일 계속 퍼먹어도 된다는 말은 아니다. 간식을 먹을 때는 열량이 비교적 적은 식품을 선택하고 가능한 한 단백질, 복합 탄수화물, 좋은 지방을 균형 있게 포함시키면 더할 나위 없이 좋다.

개인적으로 나는 간식을 좋아하는 편이다. 특히 여행을 자주 다니기 때문에 여행 중에 먹기 쉬운 간식을 준비하는 요령을 자연스럽게 터득하게 됐다. 그렇게 하지 않으면 공항 매점에서 캔디 바라도 하나 사고 싶은 유혹에 시달린다.

내가 좋아하는 저 열량 간식 중 하나는 생채소다. 그리고 과일과 채소의 탄수화물과 균형을 맞추기 위해 몇 가지 견과류와 저지방 치즈를 약간 추가해서 단백질과 지방을 보충한다.

그런데 말린 과일과 채소를 살 때는 약간의 주의가 필요하다. 시중에는 몸에 좋지 않은 당분과 보존제 등 기타 성분이

첨가된 제품들이 너무도 많다. 그러므로 식품의 성분표시를 꼼
꼼히 읽어야 한다. 그리고 되도록 아무것도 첨가되지 않은 제
품을 고르는 것이 제일 안전하다고 할 수 있다.

［1級2次面接試験　課題文　日本語訳］

好ましい間食と選択方法

　昼間には間食をするなと言う人がいるとしたら、聞くふりもするな！　何も食べず長時間我慢すると、脳の機能が損傷し、血糖値が著しく低くなることがある。血糖値が下がると衝動を制御しにくくなり、イラつきやすくなる。また、一部の人たちにおいては、心理的ストレスを起こすこともある。

　昼間には、おおよそ2.5〜3時間ごとに間食をとるのが血糖バランスの助けになる。だからといって一日中ひたすら食べ続けてもいいという訳ではない。間食をとる際はカロリーが比較的低い食品を選び、可能な限りタンパク質、複合炭水化物、良質な脂肪をバランスよく含ませるとこの上なく良い。

　個人的に私は間食を好む方である。特に旅行によく行くので、旅行中に食べやすい間食を準備する要領が自然と身につくようになった。そうしなければ、空港の売店でキャンディーバーでも一つ買いたい誘惑に駆られる。

　私が好きな低カロリー間食の一つは生野菜である。そして果物と野菜の炭水化物とのバランスをとるため、何種類かのナッツ類と低脂肪チーズを少し足して、タンパク質と脂肪を補う。

　しかし、ドライフルーツやドライベジタブルを買うときは、少し注意が必要である。町中には体に良くない糖分や保存料等の成

分が添加された製品があまりにも多い。そのため、食品の成分表示をしっかりと確認しなければならない。そして、なるべく何も添加されていない製品を選ぶのが最も安全だといえる。

반절표(反切表)

母音 子音	【1】ㅏ [a]	【2】ㅑ [ja]	【3】ㅓ [ɔ]	【4】ㅕ [jɔ]	【5】ㅗ [o]	【6】ㅛ [jo]	【7】ㅜ [u]	【8】ㅠ [ju]	【9】ㅡ [ɯ]	【10】ㅣ [i]
【1】ㄱ [k/g]	가	갸	거	겨	고	교	구	규	그	기
【2】ㄴ [n]	나	냐	너	녀	노	뇨	누	뉴	느	니
【3】ㄷ [t/d]	다	댜	더	뎌	도	됴	두	듀	드	디
【4】ㄹ [r/l]	라	랴	러	려	로	료	루	류	르	리
【5】ㅁ [m]	마	먀	머	며	모	묘	무	뮤	므	미
【6】ㅂ [p/b]	바	뱌	버	벼	보	뵤	부	뷰	브	비
【7】ㅅ [s/ʃ]	사	샤	서	셔	소	쇼	수	슈	스	시
【8】ㅇ [無音/ŋ]	아	야	어	여	오	요	우	유	으	이
【9】ㅈ [tʃ/dʒ]	자	쟈	저	져	조	죠	주	쥬	즈	지
【10】ㅊ [tʃʰ]	차	챠	처	쳐	초	쵸	추	츄	츠	치
【11】ㅋ [kʰ]	카	캬	커	켜	코	쿄	쿠	큐	크	키
【12】ㅌ [tʰ]	타	탸	터	텨	토	툐	투	튜	트	티
【13】ㅍ [pʰ]	파	퍄	퍼	펴	포	표	푸	퓨	프	피
【14】ㅎ [h]	하	햐	허	혀	호	효	후	휴	흐	히
【15】ㄲ [ʔk]	까	꺄	꺼	껴	꼬	꾜	꾸	뀨	끄	끼
【16】ㄸ [ʔt]	따	땨	떠	뗘	또	뚀	뚜	뜌	뜨	띠
【17】ㅃ [ʔp]	빠	뺘	뻐	뼈	뽀	뾰	뿌	쀼	쁘	삐
【18】ㅆ [ʔs]	싸	쌰	써	쎠	쏘	쑈	쑤	쓔	쓰	씨
【19】ㅉ [ʔtʃ]	짜	쨔	쩌	쪄	쪼	쬬	쭈	쮸	쯔	찌

【11】 ㅐ [ɛ]	【12】 ㅒ [jɛ]	【13】 ㅔ [e]	【14】 ㅖ [je]	【15】 ㅘ [wa]	【16】 ㅙ [wɛ]	【17】 ㅚ [we]	【18】 ㅝ [wɔ]	【19】 ㅞ [we]	【20】 ㅟ [wi]	【21】 ㅢ [ɯi]
개	걔	게	계	과	괘	괴	궈	궤	귀	긔
내	냬	네	녜	놔	놰	뇌	눠	눼	뉘	늬
대	댸	데	뎨	돠	돼	되	둬	뒈	뒤	듸
래	럐	레	례	롸	뢔	뢰	뤄	뤠	뤼	릐
매	먜	메	몌	뫄	뫠	뫼	뭐	뭬	뮈	믜
배	뱨	베	볘	봐	봬	뵈	붜	붸	뷔	븨
새	섀	세	셰	솨	쇄	쇠	숴	쉐	쉬	싀
애	얘	에	예	와	왜	외	워	웨	위	의
재	쟤	제	졔	좌	좨	죄	줘	줴	쥐	즤
채	챼	체	쳬	촤	쵀	최	춰	췌	취	츼
캐	컈	케	켸	콰	쾌	쾨	쿼	퀘	퀴	킈
태	턔	테	톄	톼	퇘	퇴	퉈	퉤	튀	틔
패	퍠	페	폐	퐈	퐤	푀	풔	풰	퓌	픠
해	햬	헤	혜	화	홰	회	훠	훼	휘	희
깨	꺠	께	꼐	꽈	꽤	꾀	꿔	꿰	뀌	끠
때	떄	떼	뗴	똬	뙈	뙤	뚸	뛔	뛰	띄
빼	뺘	뻬	뼤	뽜	뽸	뾔	뿨	쀄	쀠	삨
쌔	썌	쎄	쎼	쏴	쐐	쐬	쒀	쒜	쒸	씌
째	쨰	쩨	쪠	좌	쫴	쬐	쭤	쮀	쮜	쯰

かな文字のハングル表記
（大韓民国方式）

【かな】	【ハングル】									
	＜語頭＞					＜語中＞				
あ い う え お	아	이	우	에	오	아	이	우	에	오
か き く け こ	가	기	구	게	고	카	키	쿠	케	코
さ し す せ そ	사	시	스	세	소	사	시	스	세	소
た ち つ て と	다	지	쓰	데	도	타	치	쓰	테	토
な に ぬ ね の	나	니	누	네	노	나	니	누	네	노
は ひ ふ へ ほ	하	히	후	헤	호	하	히	후	헤	호
ま み む め も	마	미	무	메	모	마	미	무	메	모
や ゆ よ	야		유		요	야		유		요
ら り る れ ろ	라	리	루	레	로	라	리	루	레	로
わ を	와				오	와				오
が ぎ ぐ げ ご	가	기	구	게	고	가	기	구	게	고
ざ じ ず ぜ ぞ	자	지	즈	제	조	자	지	즈	제	조
だ ぢ づ で ど	다	지	즈	데	도	다	지	즈	데	도
ば び ぶ べ ぼ	바	비	부	베	보	바	비	부	베	보
ぱ ぴ ぷ ぺ ぽ	파	피	푸	페	포	파	피	푸	페	포
きゃ きゅ きょ	갸		규		교	캬		큐		쿄
しゃ しゅ しょ	샤		슈		쇼	샤		슈		쇼
ちゃ ちゅ ちょ	자		주		조	차		추		초
にゃ にゅ にょ	냐		뉴		뇨	냐		뉴		뇨
ひゃ ひゅ ひょ	햐		휴		효	햐		휴		효
みゃ みゅ みょ	먀		뮤		묘	먀		뮤		묘
りゃ りゅ りょ	랴		류		료	랴		류		료
ぎゃ ぎゅ ぎょ	갸		규		교	갸		규		교
じゃ じゅ じょ	자		주		조	자		주		조
びゃ びゅ びょ	뱌		뷰		뵤	뱌		뷰		뵤
ぴゃ ぴゅ ぴょ	퍄		퓨		표	퍄		퓨		표

撥音の「ん」と促音の「っ」はそれぞれパッチムのㄴ、ㅅで表す。
長母音は表記しない。タ行、ザ行、ダ行に注意。

かな文字のハングル表記
（朝鮮民主主義人民共和国方式）

【かな】	【ハングル】	
	＜語頭＞	＜語中＞
あいうえお	아 이 우 에 오	아 이 우 에 오
かきくけこ	가 기 구 게 고	까 끼 꾸 께 꼬
さしすせそ	사 시 스 세 소	사 시 스 세 소
たちつてと	다 지 쯔 데 도	따 찌 쯔 떼 또
なにぬねの	나 니 누 네 노	나 니 누 네 노
はひふへほ	하 히 후 헤 호	하 히 후 헤 호
まみむめも	마 미 무 메 모	마 미 무 메 모
や ゆ よ	야 유 요	야 유 요
らりるれろ	라 리 루 레 로	라 리 루 레 로
わ を	와 오	와 오
がぎぐげご	가 기 구 게 고	가 기 구 게 고
ざじずぜぞ	자 지 즈 제 조	자 지 즈 제 조
だぢづでど	다 지 즈 데 도	다 지 즈 데 도
ばびぶべぼ	바 비 부 베 보	바 비 부 베 보
ぱぴぷぺぽ	빠 삐 뿌 뻬 뽀	빠 삐 뿌 뻬 뽀
きゃきゅきょ	갸 규 교	꺄 뀨 꾜
しゃしゅしょ	샤 슈 쇼	샤 슈 쇼
ちゃちゅちょ	쟈 쥬 죠	쨔 쮸 쬬
にゃにゅにょ	냐 뉴 뇨	냐 뉴 뇨
ひゃひゅひょ	햐 휴 효	햐 휴 효
みゃみゅみょ	먀 뮤 묘	먀 뮤 묘
りゃりゅりょ	랴 류 료	랴 류 료
ぎゃぎゅぎょ	갸 규 교	갸 규 교
じゃじゅじょ	쟈 쥬 죠	쟈 쥬 죠
びゃびゅびょ	뱌 뷰 뵤	뱌 뷰 뵤
ぴゃぴゅぴょ	뺘 쀼 뾰	뺘 쀼 뾰

撥音の「ん」は語末と母音の前では○パッチム、それ以外ではㄴパッチムで表す。
促音の「っ」は、か行の前ではㄱパッチム、それ以外ではㅅパッチムで表す。
長母音は表記しない。タ行、ザ行、ダ行に注意。

「ハングル」能力検定試験

資料

2020年秋季　第54回検定試験状況

●試験の配点と平均点・最高点

級	配点（100点満点中）			全国平均点			全国最高点		
	聞・書	筆記	合格点（以上）	聞・書	筆記	合計	聞・書	筆記	合計
1級	40	60	70	22	32	54	35	49	81
2級	40	60	70	27	38	65	40	60	97
準2級	40	60	70	28	41	69	40	60	100
3級	40	60	70	27	45	72	40	60	100
4級	40	60	60	30	46	76	40	60	100
5級	40	60	60	31	48	79	40	60	100

●出願者・受験者・合格者数など

	出願者数（人）	受験者数（人）	合格者数（人）	合格率	累計（1回～54回）		
					出願者数	受験者数	合格者数
1級	117	110	17	15.5%	4,806	4,392	513
2級	619	532	228	42.9%	24,728	22,088	3,261
準2級	1,721	1,514	833	55.0%	59,868	54,015	17,747
3級	3,415	2,981	2,390	80.2%	111,287	99,127	53,433
4級	3,877	3,461	2,957	85.4%	131,398	116,742	85,345
5級	4,023	3,578	3,165	88.5%	118,502	105,465	84,994
合計	13,772	12,176	9,590	78.8%	451,532	402,701	245,379

※累計の各合計数には第18回～第25回までの準1級出願者、受験者、合格者数が含まれます。

■年代別出願者数

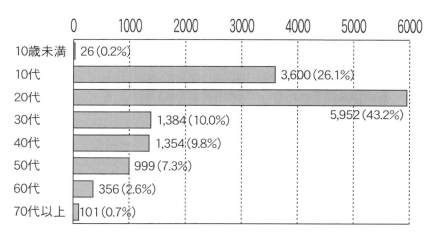

年代	出願者数
10歳未満	26 (0.2%)
10代	3,600 (26.1%)
20代	5,952 (43.2%)
30代	1,384 (10.0%)
40代	1,354 (9.8%)
50代	999 (7.3%)
60代	356 (2.6%)
70代以上	101 (0.7%)

■職業別出願者数

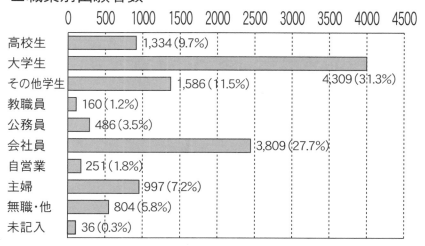

職業	出願者数
高校生	1,334 (9.7%)
大学生	4,309 (31.3%)
その他学生	1,586 (11.5%)
教職員	160 (1.2%)
公務員	486 (3.5%)
会社員	3,809 (27.7%)
自営業	251 (1.8%)
主婦	997 (7.2%)
無職・他	804 (5.8%)
未記入	36 (0.3%)

秋季第54回 試験会場一覧

都道府県コード順

〈東日本〉

受験地	第54回会場
札　幌	北海商科大学
盛　岡	アイーナ いわて県民情報交流センター
仙　台	ショーケー本館ビル
秋　田	秋田県社会福祉会館
茨　城	筑波国際アカデミー／茨城県県南生涯学習センター
宇都宮	国際ＴＢＣ高等専修学校
埼　玉	獨協大学
千　葉	敬愛大学
東京Ａ	フォーラムエイト
東京Ｂ	東京学芸大学(小金井キャンパス)
神奈川	横浜市金沢産業支援センター／横浜研修センター
新　潟	駅南貸会議室ＫＥＮＴＯ
富　山	富山県立伏木高等学校
石　川	金沢勤労者プラザ
長　野	長野朝鮮初中級学校
静　岡	静岡学園早慶セミナー
浜　松	浜松労政会館

秋季第54回 試験会場一覧

都道府県コード順

〈西日本〉

受験地	第54回会場
名古屋	IMYビル
四日市	四日市朝鮮初中級学校
京　都	西陣織会館
大　阪	ＴＫＰ新大阪（3会場）
神　戸	兵庫県教育会館／神戸市教育会館
鳥　取	鳥取市福祉文化会館
岡　山	岡山朝鮮初中級学校
広　島	広島ＹＭＣＡ国際文化センター
香　川	アイパル香川
愛　媛	松山大学（文京キャンパス）
福　岡	リファレンス駅東ビル
北九州	北九州市立八幡東生涯学習センター
佐　賀	メートプラザ佐賀
熊　本	熊本市国際交流会館
鹿児島	鹿児島県青少年会館
沖　縄	インターナショナルデザインアカデミー

◆千葉、東京Ａ、Ｂ、神奈川、大阪会場の４、５級をIBT受験に切り替えました。
◆準会場での試験実施は42ヶ所となりました。
　皆様のご協力に心より感謝いたします。

1級2次試験会場一覧

※1級1次試験合格者対象

受験地	第54回会場
	オンライン面接

●合格ラインと出題項目一覧について

◇合格ライン

	聞きとり		筆記		合格点
	配点	必須得点(以上)	配点	必須得点(以上)	100点満点中(以上)
5級	40		60		60
4級	40		60		60
3級	40	12	60	24	60
準2級	40	12	60	30	70
2級	40	16	60	30	70
	聞きとり・書きとり		筆記・記述式		
	配点	必須得点(以上)	配点	必須得点(以上)	
1級	40	16	60	30	70

◆解答は、5級から2級まではすべてマークシート方式です。
　1級は、マークシートと記述による解答方式です。

◆5、4級は合格点(60点)に達していても、聞きとり試験を受けていないと不合格になります。

◇出題項目一覧

	初　　級		中　　級		上　　級	
	5級	4級	3級	準2級	2級	1級
学習時間の目安	40時間	80	160	240〜300	—	—
発音と文字					*	*
正書法						
語彙						
擬声擬態語			*	*		
接辞、依存名詞						
漢字						
文法項目と慣用表現						
連語						
四字熟語				*		
慣用句						
ことわざ						
縮約形など						
表現の意図						
理解と産出 テクストの 内容理解						
接続表現	*	*				
指示詞	*	*				

※灰色部分が、各級の主な出題項目です。
　「＊」の部分は、個別の単語として取り扱われる場合があることを意味します。

◎ 資格取得のチャンスは1年間に2回! ◎

「ハングル」検定

◆南北いずれの正書法(綴り)も認めています◆

◎春季　6 月　第1日曜日　(1級は2次試験有り、東京・大阪にて実施)
◎秋季　11月　第2日曜日　(1級は2次試験有り、東京・大阪・福岡にて実施)
　※1級2次試験日は1次試験日から3週間後の実施となります。

●**試験会場**　協会ホームページからお申し込み可能です。コンビニ決済、クレジット
　　　　　　カード決済のご利用が可能です。

札幌・盛岡・仙台・秋田・茨城・宇都宮・群馬・埼玉・千葉・東京A・東京B・神奈川
新潟・富山・石川・長野・静岡・浜松・名古屋・四日市・京都・大阪・神戸・鳥取
岡山・広島・香川・愛媛・福岡・北九州・佐賀・熊本・大分・鹿児島・沖縄

●**準会場**
　◇学校、企業など、団体独自の施設内で試験を実施できます(延10名以上)。
　◇高等学校以下(小、中学校も含む)の学校等で、準会場を開設する場合、「準会場学
　　生割引受験料」を適用します(10名から適用・30%割引)。
　　詳しくは「受験案内(願書付き)」、または協会ホームページをご覧ください。

●**願書入手**
　◇願書は全国主要書店にて無料で入手できます。
　◇協会ホームページからダウンロード可、又は「願書請求フォーム」からお申し込
　　みください。

■**受験資格**
　国籍、年齢、学歴などの制限はありません。

■**試験級**
　1級・2級・準2級・3級・4級・5級(隣接級との併願可)

■**検定料**

1級	10,000円	2級	6,800円	準2級	5,800円
3級	4,800円	4級	3,700円	5級	3,200円

　◇検定料のグループ割引有(延10名以上で10%割引)

検定試験の最新情報は、公式ホームページでご確認ください。
公式SNSでも随時お知らせしています。

詳細はこちら　　　| ハングル検定 |　| 🔍 検索 |

217

「ハングル」検定公式テキスト
ペウギ 準2級/3級/4級/5級

ハン検公式テキスト。これで合格を
目指す！　暗記用赤シート付。
準2級/2,970円（税込）※CD付き
3級/2,750円（税込）
5級、4級/各2,420円（税込）
※A5版、音声ペン対応

新装版　合格トウミ
初級編 / 中級編 / 上級編

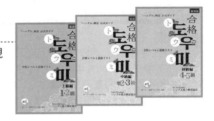

レベル別に出題語彙、慣用句、慣用表現
等をまとめた受験者必携の一冊。
暗記用赤シート付。
初級編/1,760円（税込）
中級編、上級編/2,420円（税込）
※A5版、音声ペン対応

中級以上の方のためのリスニングBOOK
読む・書く「ハン検」

長文をたくさん読んで「読む力」を鍛える！
1,980円（税込）
※A5版、音声ペン対応
別売CD/1,650円（税込）

2021年版
ハン検 過去問題集 （CD付）

年度別に試験問題を収録した過去問題集。
学習に役立つワンポイントアドバイス付！
上級（1、2級）/2,200円（税込）
中級（準2、3級）/1,980円（税込）
初級（4、5級）/1,760円（税込）
※2021年版のみレベル別に発刊。

協会書籍対応　音声ペン

対応書籍にタッチするだけでネイティブの発音が聞ける。
合格トウミ、読む書く「ハン検」、ペウギ各級に対応。
8,600円（税込）

好評発売中！　**2020年版**
ハン検 過去問題集（ＣＤ付）

◆2019年第52回、53回分の試験問題と正答を収録、学習に役立つワンポイント
　アドバイス付！

　１級、２級………………………………………各2,200円（税込）
　準２級、３級……………………………………各1,980円（税込）
　４級、５級………………………………………各1,760円（税込）

購入方法

①全国主要書店でお求めください。（すべての書店でお取り寄せできます）

②当協会へ在庫を確認し、下記いずれかの方法でお申し込みください。

【方法１：郵便振替】

振替用紙の通信欄に書籍名と冊数を記入し代金と送料をお支払いください。お
急ぎの方は振込受領書をコピーし、書籍名と冊数、送付先と氏名をメモ書きに
してFAXでお送りください。

　　　　　　◆口座番号：00160－5－610883
　　　　　　◆加入者名：ハングル能力検定協会

（送料1冊350円、2冊目から1冊増すごとに100円増、10冊以上は無料）

【方法２：代金引換え】

書籍代金（税込）以外に別途、送料と代引き手数料がかかります。詳しくは協会
へお問い合わせください。

③協会ホームページの「書籍販売」ページからインターネット注文ができます。
　（https://www.hangul.or.jp）

※音声ペンのみのご注文：送料500円/1本です。2本目以降は1本ごとに100円増となります。
　書籍と音声ペンを併せてご購入頂く場合：送料は書籍冊数×100円＋音声ペン送料500
　円です。ご不明点は協会までお電話ください。

※音声ペンは「ハン検オンラインショップ」からも注文ができます。

2021年版「ハングル」能力検定試験

ハン検 過去問題集〈1級・2級〉

2021年3月1日発行

編　　著	特定非営利活動法人 ハングル能力検定協会
発　　行	特定非営利活動法人 ハングル能力検定協会 〒101-0051 東京都千代田区神田神保町2-22-5 Ｆ TEL 03-5858-9101　　FAX 03-5858-9103 https://www.hangul.or.jp
製　　作	現代綜合出版印刷株式会社

定価　2,200円（税込）
HANGUL NOURYOKU KENTEIKYOUKAI
ISBN 978-4-910225-04-3　C0087　¥2000E
無断掲載、転載を禁じます。
<落丁・乱丁本はおとりかえします>　　　Printed in Japan